平凡社新書
1000

日本の闇と怪物たち
黒幕、政商、フィクサー

佐高信
SATAKA MAKOTO
森功
MORI ISAO

HEIBONSHA

はじめに

佐高信

二〇二一年に出した『時代を撃つノンフィクション１００』（岩波新書）に私は森さんの『許永中』（講談社＋α文庫）を選び、次のように書いた。

「昼の光に夜の闇の深さがわかるものか」と言ったのはニーチェだった。闇が光を呼ぶのではなく、光が闇を呼ぶのである。いや、光が闇であり、闇があってこそ光って見える――こんな禅問答めいたことを言いたくなるほど、許永中は日本の政財界の〝光〟と共に生きてきた。

許はイトマン事件で逮捕されることになったが、金丸信、竹下登、磯田一郎（住友銀行頭取）、宅見勝（山口組ＮＯ２）、そして亀井静香と、親しんだ表と裏の人脈は奥深い。許は好きな映画のひとつに『砂の器』を挙げるといったエピソードもちりばめながら、その軌跡を追うこのドキュメントは、東京拘置所にいる許から著者が抗議の内容証明便をもらう場面から始まる。副題は「日本の闇を背負い続けた男」だが、それゆえにというか、それだけに「日本で最も恐れられた男」でもあった。

その許と親しく、「闇社会の守護神」と呼ばれた弁護士の田中森一と会って、私はこう言われた。『週刊金曜日』二〇〇八年三月二一日号掲載のインタビューにおいてである。

「佐高さんも、永中に会ってみてください。面白い人物ですよ。出所したら、またいろいろやるはずですから」

永中とは言うまでもなく許永中であり、その後を追うように〝入所〟した田中とは極めて親しい間柄らしい。そもそも敏腕検事だった田中が、なぜ検事をやめて、闇の世界の住人たちとつきあうようになったか。一九八六年から八七年にかけての三菱重工株式転換社債事件が、検事としての田中の屈折点だった。ここで田中は追及しきれずに挫折するのである。三菱については田中は私にこんなことを暴露した。三菱地所が所有する大阪の帝国ホテルのタワー棟の上から三階分を許永中が譲渡されていたという。不祥事のあった三菱グループの某社の株主総会を山口組が仕切るよう動いたことへのご褒美ではないかと田中は推測していた。

一貫して「日本の闇」を暴くことにこだわってきた森功は『悪だくみ』（文藝春秋）

も書いた。言うまでもなく、安倍晋三夫人が安倍と加計学園の加計孝太郎らが一緒の写真を撮り、「男たちの悪だくみ」と名づけたことに由来する。安倍の友人の記者であれば女性をレイプしても逮捕されなかったりして、安倍の権力の私物化は底が抜けた感じさえしたが、森友学園と加計学園の問題はまさに一線も二線も越えている。

許永中と安倍晋三のどちらが、ヨリ悪なのか？　そんな問いさえ発したくなってしまう。

学生時代にラグビーをやっていたという森さんの突進力は凄い。アブナイ人間にも恐れずにタックルをかける、それは私などが心配になるくらいである。

森さんとは座談会などで一緒になるが、その一つに『週刊現代』の二〇一五年一月一七日&二四日号でやった「『黒幕たちの戦後史』を語りつくす」がある。保阪正康さんと三人でだった。

児玉誉士夫や笹川良一について語ったそれは本書の前史にもなると思うので、少し紹介しよう。

「黒幕というのは基本的に右翼出身の人が多い。アメリカとつながった親米右翼です。典型的なのが、戦後の黒幕として最初に名が挙がる児玉誉士夫でしょう。戦前は鬼畜米英と言っていた人が、いきなり親米になる」

私のこの発言を森さんが、

「児玉は、晩年に自分がCIAの対日工作員だったことを告白していますからね。河野一郎や岸信介の後ろ盾として影響力をふるい、ある意味で自民党を作ったともいえるスケールの大きなフィクサーでした」

と受け、私は、

「私がものを書き始めた七〇年代には、児玉はまだ存命中。彼の話は本当にタブーで、児玉の児の字でも書こうものなら、消されるんじゃないかという恐怖感がありました」

と続けた。

この時の森さんの四元義隆についての取材体験も興味深い。

「虚像という意味では、四元義隆の自宅を訪ねたとき、面白い経験をしました。四元は一九三二年の血盟団事件で逮捕された右翼で、戦後は政界の黒幕として、特に中曽根政権や細川政権では陰の指南役と言われるほど影響力をふるった人物です。私は、細川首相との関係を聞きに、鎌倉の自宅を訪れたのですが、障子越しにしか話をしないんです。相当お年を召していたというのもあったと思いますが、面と向かっては話せないということでした」

これを受けて私は、

「そうやって、顔を見せないところも黒幕らしい演出かもしれない。四元といえば、田中清玄の会社だった三幸建設の社長を引き継いだ人物ですね。田中も代表的な黒幕の一人だと思いますが、右翼出身の人たちと違って、戦前は非合法時代の日本共産党の中央委員長を務めていた。獄中で天皇主義者に転向する」

と発言し、森さんが次のように締めた。

「戦後は実業家として建設業や農業に乗り出します。全学連に資金を提供したり、インドネシアやアブダビで石油の輸入、油田開発にまで関わったりするなど、まさに黒幕と呼ぶにふさわしい活動ぶりです。山口組三代目組長の田岡一雄と親しかった。住吉会と親しかった児玉と対立していたというのもあると思いますが」

これを前書きとして、闇の世界と怪物たちへの案内の、いざ始まり始まりである。

日本の闇と怪物たち　黒幕、政商、フィクサー●目次

はじめに　佐高信……………3

序章　統一教会と創価学会……………13
渾然一体の統一教会と自民党／カルトのやり口
存在は許されても行動は許されない世襲議員／統一教会・創価学会の秘密部隊
政界工作とビジネスを駆使するカルト

第1章　「闇社会の帝王」許永中……………39
強面のイメージと人たらしの資質／表の世界が養って大きくした存在
柳川次郎の影／日本の企業文化に脈々と生きる修養団
磯田一郎批判と住友銀行の圧力／住友銀行東京本店糞尿事件
金屏風事件の深層／堤清二のもう一つの顔／住銀融資第三部の闇
高野山に出家した住銀マン／正義を振りかざすだけでは闇は抉れない

第2章　国家を支配する「フィクサー」葛西敬之……………89
国鉄改革三人組／国鉄分割は瀬島龍三の発想／経産省の次官人事に介入

陰謀をめぐらす策略家／日本の会社は憲法の番外地／メディア支配を志向する政治
メディア戦略のパイオニア／葛西のリニア計画は東芝救済策／東芝の「扇会」と「日立消防隊」
公を利権にしていく／リニア計画は誰が得するのか／国鉄の赤字を膨らませたのは政治家
インフラ輸出の仕切り役／政商としてのスケール

第3章　中曽根康弘と田中角栄の宿縁……135
中曽根康弘との出会い／知られざる存在、荒井三ノ進／渡邉恒雄の人心掌握術
城山三郎と中曽根康弘／瀬島龍三の人物／佐藤正忠の暗躍／ロッキード事件の本質
リクルート事件と文教族／芸者にモテなかった中曽根／自由主義路線を始めた中曽根

第4章　竹中平蔵と「総利権化」の構造……185
宮内義彦という存在／「問題なのはNHKならぬMHK」
蟻の一穴からすべてが崩れるというフィクサーたちの恐れ／竹中、菅、麻生の関係性
ベンチャーという「虚業」／維新と安倍・菅の関係を取り持った竹中／何でも自由化という悪夢

おわりに　森功……209

序章　統一教会と創価学会

渾然一体の統一教会と自民党

佐高　森さんは、岸信介[*1]を書いたことはないの？　岸というのは政治家でありながらフィクサーというタイプでもあった。

森　岸を書いたことはないです。統一教会と自民党のつながりは、岸以降ずっと清和会、のちの安倍派が中心になってきましたよね。

佐高　安倍晋太郎[*2]と統一教会の関係はあまり言われないけれど、岸からずっとつながっている。中曽根の後の自民党総裁を竹下登、宮沢喜一、晋太郎が争うでしょう。それで中曽根裁定で竹下に決まるわけだけど、あのとき統一教会は、安倍晋太郎を総理に、ということで動いていたのね。

森　そうです。そこは押さえ直しておく必要がありますね。

佐高　それとやはり統一教会の場合、文教族への食い込みが特徴的だよね。

森　森喜朗もそうだし、いまの下村博文も萩生田光一も文教族ですものね。安倍派の文教族はみんな統一教会との絡みがある。

佐高　自民党右派の本能として、教育を押さえて自分たちが求める潮流をつくろうという企み（たくら）がある。あるいは右派が教育に集中する裏には、政治経済についての真っ当な政策がないという実態もあると思います。

森　実はそういうことなんですよね。経済や外交、安全保障の現実に対応できるような政策は弱い。

佐高　不平不満を抑えることを学校でやって、言うことを聞かせるというのが彼らが目指す強権支配の根っこにあるから。だから単純な頭の人が多いよね。

森　見た目からしてそうですね。文教を感じさせないのが凄い。

佐高　その変な年功序列のなかでボスになっちゃったのが森喜朗ということでしょう。

森　そういうことですね。統一教会を引き入れた政治家は、票だけでなく、右派イデオロギーの共有という利害の一致もあった。

佐高　そういう連中が集まって、自民党と統一教会は渾然一体となっていた。森さんは、統一教会についてはこれまで書いてきましたか？

森　『週刊新潮』にいたときは、いま統一教会の改革推進本部長になっている勅使河原秀行[*3]を追いかけ回しました。勅使河原は二〇二二年の記者会見でおよそ三〇年ぶりに登場したわけですが、オリンピックの新体操選手だった山崎浩子と、九二年に合同結婚式で結婚する。当時まだ彼は大和証券にいたと思います。

僕は勅使河原の家に上がり込んで単独インタビューして、それを『週刊新潮』に書いたんですけど、記事をめぐって大揉めに揉めて。

佐高 揉めたというのは？

森 大したことではないんですが、とりあえず話を訊きたいということで聞いた内容を、僕は当然、記事にしたんですけど、おかしいじゃないか、記事にするなんて言ってなかったじゃないか、みたいな、そういうことです。かなり激しく執拗に言ってきました。

佐高 勅使河原は山崎と結婚したんでしたっけ？

森 結婚して、一年後に離婚しています。要は、山崎のマインドコントロールが解けたわけです。有田芳生（よしふ）[*4]さんとか江川紹子さんとかがいろいろやっていたんじゃないですか。飯星景子などのマインドコントロールが解けていった人たちと、解けていかない人たち、桜田淳子なんかもそのまま残っちゃったけど、二タイプいるじゃないですか。山崎浩子は解けたんです。

その間、我々がいろいろと取材して、勅使河原とも何度か会いました。三〇年以上前の話で、彼が理路整然と何を言っていたか、当時の記事を見ないと覚えていないけど。

佐高 公然とした取材以外の談話を記事にすることもあるし、大体、自分たちこそが偽って詐欺商法をやっているわけだよね。

森 あのころは山崎浩子が広告塔で、勅使河原も広告塔になっていたから、下手なところで書かれちゃって、やはり内部でいろいろとあったんじゃないですかね。
　昨年の記者会見を見ると、あれからずいぶん彼は出世したんだなと思った。いまや教団幹部ですよね。彼はこれから表に出てきて、会長の代わりにマスコミ対応するんじゃないですかね。あの後、大和証券にはいられなかったんでしょうね。
佐高　大和証券がというわけではないけれど、証券会社が誘い込む「株が上がりますよ」なんて話は、霊感商法と似たようなものだよね。そもそも日本の会社には霊感商法がはびこっているし、組織としてもカルト性が極めて強い。
森　そこは会社組織のカルト性をずっと見てきた佐高さんならではの視点なんでしょうけれど、「似たような話」と言えば、統一教会と創価学会と、じゃあどこが違うんだということもあります。創価学会については、もうあまり言われなくなっちゃったけど、公明党が政権に入って以来、うまくやってるからなんですかね。
　それにしても、今回の騒動を見ると、統一教会をめぐって、こんなに盛り上がるというのは、やはり不思議な気はしました。
佐高　やはり安倍が撃たれたということで、統一教会が問題にされてこなかった「空白の三〇年」、いや戦後保守政治のある側面が再審に付されつつある。
森　実は安倍派と統一教会がべったりだったということ。それが、岸以来、常態と化していた統一教会による自民党右派への侵蝕とつながっていること。そのことにまつわる政治不信は、安倍国葬を決めて、そこからますます火に油を注いだ格好になりましたよね。

佐高　国葬強行は大きかったですね。

カルトのやり口

佐高　森さんが創価学会に言及されたけども、創価学会も最初は、金はあまり集めないと言っていたんだよね。

森　そうですよね。

佐高　それが「財務」と称して、金を集めるようになる。いま、田原総一朗さんが創価学会や公明党に、財務の上限額を決めよと提言しても、反応はないらしい。つまり宗教問題は、金絡みだよね。

　それと金絡みと言えば、統一教会と深い関係だった笹川良一[*5]にしても、やはりある種、どこか商売右翼です。

森　完全にそうなんじゃないですか。

佐高　児玉誉士夫[*6]の正体が金権右翼とバレたように、笹川も商売右翼であり、そこに統一教会が絡んでいくという構図。ビジネスカルトとビジネス右翼。森さん、笹川を書いたことは？

森　笹川も、『週刊新潮』にいたころに何度か取材して書きました。

佐高　会っている？

森　会ったことはないです。笹川で言うと、鎌田慧さんのルポがよく迫っていますよね。

佐高　『ルポ権力者』ね。三〇年くらい前の、たしかに先駆的な仕事ですね。鎌田さんは、あの時代に、笹川存命中に、よく報じましたよね。

統一教会問題でも、山口広という、全国霊感商法対策弁護士連絡会の代表世話人がひどい目に遭っている。勝共連合の『思想新聞』というのがあって、一九八七年、霊感商法問題がクローズアップされているさなかに、号外で一〇万枚を配ったというんだね。山口広さんほか四人の弁護士が「うごめく左翼弁護士」といって徹底的に叩かれている。

森　カルトのやり口ですね。

佐高　写真と住所、電話番号入りで、ビラを撒かれるわけです。それで一日に三〇〇回、山口さんのところに電話が来たという。

森　凄まじいですね。でも、それくらいのことはやるでしょうね。

佐高　統一教会にはそういう実働部隊があって、それがメディアに対する大変な圧力になってきたと思います。

森　当時、統一教会のある機関がつくっている、メディア関係者を含めた名簿があって、それをもとに活動をしていると聞きました。

とにかく「反統一教会」のあらかたの著名人の住所や連絡先がすべて載っていて、統一教会にとってはものすごく便利なものだそうです。

佐高　「反統一」の著名人に働きかけて、籠絡していくということ？

森　いや、そうじゃなくて、統一教会に対して意見を言っている、学者であったり弁護士であったりを徹底的にマークしておくということです。

佐高　潜在的な攻撃対象として。

森　そういうことでしょうね。そういう名簿があるということを、統一教会の人が言ってました。

佐高　大阪府知事選に立候補していた共産党の辰巳孝太郎が書いてたけど、二〇〇〇年の大阪府知事選、自公に民主が相乗りして太田房江[*7]が府知事になった選挙ですが、あのときに、統一教会がつくった反共ビラ二〇〇万枚を、創価学会も撒いたそうです。その直後の総選挙では同様の反共ビラがなんと一億枚撒かれたらしく、その発行責任者は公明党の市議団長と判明している、と。

統一教会は、選挙活動を通じて権力に入り込むわけじゃないですか。だから、選挙のときには当然、名簿をつくりますよね。食い込む相手、同調者、敵対者をはっきりさせていく。

田中秀征[*8]は、統一教会の選挙協力を断るわけですよ。するとすぐに、選挙区の全戸に、田中は容共議員だというビラが撒かれる。

つまり、黙っていれば自民党と統一教会は、既定路線としてくっついている。断ったときに初めて切れるわけですが、そうすると敵対者と見なされて、とんでもない攻撃を受けることになる。

森　そういうことなんでしょうね。自民党岸田派（宏池会）のある議員秘書が言ってましたけど、安倍派に限らずどこの派閥に対しても、統一教会は必ず人員を送り込んできて、その人間を使わざるを得ないというか、使うのが当然という状態になってしまっている、と。

佐高　断ったときのリアクションを覚悟しなければ、断れないんだよね。

森　そう。それともう一つ、やはり統一教会の選挙応援は便利だと言っていましたよ。まさしくボランティアでよく働いてくれるから。普通の選挙ボランティアといったら結構いいかげんで、選挙運動しているふりをして遊び回ったりしているけど、統一教会の彼らは真面目にやってくれるから、助かるんですよ、という言い方をしていました。

佐高　統一教会信者についてのルポなんかを読むと、彼らは募金活動とかをノルマ的にやらされるでしょう。選挙応援は、あれよりはずっと楽なんだって。

森　壺や印鑑や宝飾品を売ったりするよりも、選挙だから堂々としていられる。

佐高　それと、断られるのに慣れているから、電話攻勢で断られたりしても、全然、めげないそうです。

森　精神的にもタフというか無神経になってしまっているんでしょうね。

佐高　そうして選挙を重ねるごとに、統一教会の人員が欠かせない存在になっていく。彼らは選挙区の人とも知り合いになるし、人脈ができちゃうわけだから、ますます切るに切れなくなるという話らしい。

森　僕は下村博文のことは、加計問題のキーマンとしての役割を含めてずいぶん書いたんですけど、そのころから始まった下村の事務所の連中とのつき合いがいまでもあって、その一人が言うには、下村の事務所には、統一教会担当者がいるんですって。その人が窓口として取り仕切っていて、他の秘書は状況はよく分からないけど、その担当者に訊けば分かる、と言う。間違いなく統一教会は下村事務所にかなりコミットしているから、窓口が一人ずっといる、と。そういう言い方をしていましたね。

佐高　下村の暗躍は間違いないんでしょうね。

存在は許されても行動は許されない世襲議員

佐高　それといま、二世、三世の議員がやたら多いでしょう。岸田文雄にしろ、麻生太郎にしろ、二世、三世ですよね。これは田中秀征が言っているんだけれど、世襲議員というのは、御神輿なんだ、と。利権集団の神輿で、だから一世以来ずっと関わってきた人にとっては、むしろ神輿に下手に動かれると困る。だから黙って神輿に座っていりゃいいと。つまり、世襲議員は存在は許されても独自の行動は許されていないと、秀征が書いている。そうなると、統一教会の侵蝕についても、二世、三世は、具体的には知らない場合もある。

森　二世、三世だったら、あり得るでしょうね。

佐高　下村の場合は二世じゃないから主体的な関わりなんでしょうけれども、担当者しか知らないという構造になっているのではないか。

森　たしかに周りの人は知らないと言っていましたね。

佐高　だから岸田なんかでも、熊本の後援会長が統一教会関連団体の議長だったと『週刊文春』が報じましたが、たぶん岸田は実際には知らない。これはもちろん岸田をかばっているのではなく、二世批判として言っているんですが。

森　たしかに岸田の場合は、ちょっとあれはかわいそうというか、本当に知らなかったんだろうなとは思いましたね。だから下村とか萩生田とか、あのへんの確信犯とはちょっと違いますね。

佐高　ただ、森さん、私は逆に萩生田のほうがかわいそうだと思いますよ。

森　そうか、二世、三世は、神輿に乗っているだけなわけだから。下村にしても萩生田にしても、選挙に弱いですものね。落選経験があるから、統一教会でも何でも、使えるものは使おうと。

佐高　だから、一世は手を汚していて、安倍とか岸田は、その上に乗っかっているだけ、みたいなことではないか。

森　そこは佐高さんの言われるとおりですね。

統一教会・創価学会の秘密部隊

佐高　しかし統一教会というのは会社なんですね。企業体。韓国では宗教団体ではなく、財団なんだって。

森　かなり前の話ですが、築地のマグロ卸しを統一教会が牛耳っていた。僕が統一教会を取材し始めたきっかけは、その話でした。要するに統一教会がアメリカで水産会社を買い取って、そこからマグロを輸入して、それを築地に持っていく。マグロ転がしをやって儲けていくわけですよ。それが統一教会の、最初のころの資金源だったはずです。

佐高　それから文鮮明はライフルが好きで、銃砲店も経営している。

森　それはちらっと、僕も聞いたことがある。

佐高　「鋭和ＢＢＢ」とかいう銃砲店。だから結構ヤバい実働部隊を持っている可能性がある。

森　とかく新興宗教はそうですね。統一教会はいろんな商売をやってきていますが、創価学会もそうでしょう。創価学会も尾行部隊などを持っていましたものね。

佐高　ああ、なるほど。

森　いろいろと秘密部隊を持っていて、有名なのは「大鳳会」。

佐高　外務省の創価学会員グループですね。

森　そうです。ほかにも「法学委員会」は、弁護士、検事なんかを育てる組織。あとは、それこそヤクザとも密着する尾行部隊があって、創価学会が大石寺[*9]と揉めた宗門問題のときは、その部隊が大石寺排斥の運動を陰で支えるみたいな動きをしていた。

佐高　後藤組と創価学会のつながりは、後藤忠政[*10]がその著書『憚りながら』ではっきりと書いている。

森　だから創価学会は、裏社会と密着していくということを、かなりやっていましたね。

北海道の大石寺派の僧侶が被害を受けて刑事事件になっていたのを取材したことがあります。

佐高 森さんは、尾行されたことはないの？

森 ありますけど、創価学会からは、ないような気がしますね。他のところからはいろいろありますが。

佐高 私は、テリー伊藤と『お笑い創価学会』という本を出して、そのときに、テリーは尾行されたらしい、車とかで。私は認識してないんだけれど。

森 佐高さんが気づかなかっただけでは？（笑） 彼らは専門部隊ですから。

佐高 テリーは車による追尾だったから、結構分かったみたいです。

森 僕がこれは絶対に尾行だなと思ったのは、JALの取材[*11]をしているときに、箱崎のロイヤルパークホテルでJALの役員と会って、そこから家にタクシーで帰ったときのことです。「ずっと後ろから車がついてきてますよ」と、タクシーの運転手が気づいて、僕の家の目の前に止まったら、その車もうちの前まで来て、すっと通り過ぎるわけです。これは間違いないな、と。

佐高 それはJALの内部告発的役員と会っていた？

森 そうです。

佐高　それはかなりヤバいよね。尾行は威嚇でもあるかもしれない。

森　だからマークされていたんでしょうね。僕をマークしていたのか、ＪＡＬの役員をマークしていたのか、それは分からないけど、両方を付けていたかもしれない。

佐高　やはり権力機構や宗教組織、また黒幕的な存在というのには、必ずスパイ組織が付きまとう。

統一教会も、ＫＣＩＡとかＣＩＡが絡むわけでしょう。統一教会の文鮮明が金日成と会ったりしていると聞いて、驚く人たちもいるけれども、それはあくまでも利権であり、北朝鮮との新たな闇の商売ということで考えれば、イデオロギーを超えることは不思議じゃないらしいんだよね。

森　北朝鮮絡みで言うと、安倍の秘書をやっていた政務秘書官の井上義行が、なぜ統一教会とあんなに結びついたかというと、安倍の密使として何度も、北朝鮮に連れていってもらっているんですよね、統一教会に。これは定かではないんですが、北朝鮮へは通常のパスポートが使えないから、それを統一教会に段取りをつけてもらっているらしく、何度も行っていることは間違いない。そういうつながりがあるから、切っても切れない。

安倍自身も統一教会にそういう負い目があるという話は、公安の某人が言っていました。

佐高　森さんならではのディープな情報ですね。

政界工作とビジネスを駆使するカルト

佐高　トランプは統一教会とはズブズブでしょう？

森　まさしく。

佐高　トランプが大統領就任式の前に、安倍と会うでしょう。

森　はい。

佐高　あれが、統一教会人脈によるものだということはない？

森　外務省の人に聞きましたが、あれはたぶん外務省が自分たちでセッティングしたのではないかと思います。元首相秘書官の今井尚哉（たかや）[*12]が自分の手柄だみたいに言っていたけれど、実際は当時の外務省の駐米大使の下でやっている参事官級の人間が、イヴァンカとのパイプをつくった。

佐高　トランプの娘ですね。

森　そうです。そのルートを使ったんだという話はしていました。嘘をついている感じじゃなかったと思うんですけどね。

佐高　その先兵として、河井克行が動いたとかいう話を聞いたことがある。

森　それは僕はちょっと分からないですが、あっても不思議ではない。つまり安倍は、統一教会を利用していたのは確かなわけです。さっきの北朝鮮の話も間違いない。だから、トランプとの関係でもそれを使っていた可能性はありますね。

佐高　河井克行の選挙の推薦人になって、選挙応援までしたのが佐藤優なんだよな。

森　そうですか。

佐高　私は佐藤に訴えられて、一応、和解したけど、佐藤が自分で書いている。河井の選挙の推薦人になって、無償で選挙応援もした、と。河井があああいう大型買収に関わるような人だとは気づかなかった、と。その後、応援する相手が公明党の斉藤鉄夫になるでしょう。それで、斉藤さんは安心して応援できると書いている。間違ったのなら、一回ぐらい休めよと思いました。

森　『Hanada』に、「河井克行獄中日記」なんて載っていますよね。花田紀凱(かずよし)さん[*13]も凄いですね、商売人だから。

佐高　森さんは花田を知っているの？

森　何度も会ったことはありますよ、『週刊文春』時代に。だけどあんな人だとは思わなかった。

佐高　花田について書いてと原稿依頼があり、しょうがないから『Hanada』を買った。そうしたら、『世界日報』の記者に書かせている。なんだか凄いよね。

森　だけど『週刊文春』は、花田編集長のときにも、有田さんをライターに立てて、統一教会問題をかなり批判的にやっていたはずですが。

佐高　この間、有田さんと対談したら、当時も花田は一方で、桜田淳子の手記が欲しいと言って、統一教会本部に掛け合っていたらしい。これも凄いと言えば凄い。花田を褒める気はさらさらないけど。

森　たしかにそれは、雑誌屋としては凄いですね。

桜田淳子はその後、どうなったんですかね。

佐高　もともと、お姉さんが統一教会でしたよね。

森　そうです。桜田淳子はそこに引っ張り込まれちゃった。僕は何度も秋田に行きましたよ。彼女のお母さんのところとかね。お母さんは統一教会の合同結婚式に反対していて、何とか娘を取り戻そうとしていた。桜田淳子の家にもよく行きました。結婚した後、東さんという旦那さんと、最初、敦賀のマンションに新居を構えた。

東さんという人は敦賀で大きな工場を経営する資産家のボンボンで、わりといい人でした。勅使河原と同じように僕は親しくなったんですが、桜田淳子はなかなか出てきませんでした。

いつしか敦賀から神戸に引っ越したという話でしたから、彼の資産は統一教会に取られたのかなという想像をしていますけど。

佐高　あり得るけど、一方で、広告塔にみすぼらしい生活はさせられないよね。

森　たしかに、それはそうですね。

佐高　しかし、桜田淳子みたいに、マインドコントロールがなかなか解けないケースも多いんでしょうね。

森　解けた人はあっさり脱会しちゃうけど、勅使河原なんかを見ていても、完全に向こう側の幹部になってしまったわけですからね。

佐高　森さんが、創価学会も似たようなものではないかという話をされましたが、私は『自民党と創価学会』『池田大作と宮本顕治』という本を出したときに、改めて学会について、いろいろと調べました。

池田が三代会長になるときに、ライバルが何人かいた。その一人の藤原行正[*14]が『池田大作の素顔』という本を書いていて、印象深かったのは、ある幹部の息子が早死にしたとき、池田は、信心が足りないからだと言ったらしい。そして、池田自身の次男も早死にしてしまう。池田はそれ以来、信心が足りないと早死にするとは言わなくなった。

いずれにしてもカルトというのは、辻褄あわせと、現世利益と、金ですよ。

森　だからこそ、いろんなビジネスをやっていきますよね。ビジネスと、政治を利用して権力に入り込む政界工作ですね。

文鮮明はコリアゲート事件[*15]で有名になりましたが、あちこちで同じようなことをやっているんでしょうね。

佐高 政界工作をしないと、いつカルトとして断罪されるか分からないし、政界工作とビジネスを同時並行させて信者を増やそうとしてきた。

冒頭で、統一教会は安倍派に特化しているように話しましたけど、勝共推進議員の一覧表には、中曽根、渡辺美智雄、亀井静香なんかも入っていますよね。それと、現役では麻生と細田博之ですよ。私からすると、いま、あまり騒がれていなくて、一番嫌なのは、麻生だね。

森 国葬を進言したのは麻生だということになっています。でも、あまり表には出てこないですね。

佐高 統一教会問題で渦中にあった山際大志郎も、麻生の側近じゃない?

森 直接的には甘利明ですね。

佐高 甘利も麻生派ですよね。

森 そうです。だから岸田政権は、麻生、甘利あたりがつくった感じがありますよね。

佐高 岸田は、甘利に言わせれば、チーム甘利の一員だという。だから甘利のほうが格上なわけだ。そうすると、甘利や麻生に対して岸田はびしっと言えない。

森　いまの岸田政権は政権を動かす軸になる人間がいないから、安倍の影響力や、麻生の影響力で、バランスを取りながらやっている。だから、およそ思い切った政策が打てない。安全保障も、経済対策も、カルト対策も、独自なものを打ち出せていなかった。

佐高　安倍、麻生の影響力、プラス、アメリカの意向にはほぼ服従だから、どうにもならないですよ。統一教会からの侵蝕、創価学会との野合というカルト性を払拭できず、アメリカの言うがままだから、結局のところ岸田政権は、安倍政治をさらに推し進めたような惨状を招きつつあるわけです。

森　安倍が亡くなって少し状況が変わりましたが、自民党もどうしようもないところまで来てしまったという感があります。佐高さんは「侵蝕」と言われましたが、何がどう侵蝕して政治をここまで腐らせたのか、そこを見ないといけませんよね。

佐高　そのためにはやはり裏面史というか、闇に隠された部分を暴き、そこにうごめいた人物たちをじっくりと検証する必要がある。森さんと私なら、それができると思います。

＊1　岸信介（一八九六〜一九八七）　山口県生まれ。東京帝国大学法科卒業後、農商務省に入省、満州に渡り満州経済の軍事化を指導。一九四一年東条英機内閣の商工大臣に就任。四二年、衆議

院議員。戦後A級戦犯容疑で逮捕されたが不起訴。五二年日本再建連盟をつくり、日本民主党の創立に参画、幹事長となり、五七年、自由民主党総裁、首相となる。六〇年、日米安全保障条約改定を強行して退陣（安保闘争）。反共・親台湾、憲法改正論者として議員引退後も大きな力を保持した。佐藤栄作は弟。

*2　安倍晋太郎（一九二四～一九九一）　山口県生まれ。東京大学法学部卒業。毎日新聞記者、岸信介の秘書官を経て、一九五八年に衆議院議員初当選。農相、自民党国対委員長、内閣官房長官、党政務調査会長、通産相など歴任。八二年、中曽根内閣の外相に就任。岸信介の派閥を継承した福田派（清和会）に属して同派のプリンスと呼ばれ、八六年の選挙後に同会会長となって福田派を引き継いだ。自民党総務会長、同幹事長を歴任。

*3　勅使河原秀行（一九六三～）　愛知県生まれ。京都大学農学部入学後、統一教会の学生組織である原理研究会に入り、統一教会に入信する。大和証券に入社後、一九九二年八月に統一教会の「合同結婚式」に参加。元新体操選手の山崎浩子と結婚したが、翌年に山崎が脱会。二〇二二年、安倍晋三銃撃事件を受けた旧統一教会の会見で、教会改革推進本部本部長として約三〇年ぶりにメディアに登場した。

*4　有田芳生（一九五二～）　京都府生まれ。高校時代に日本共産党に入党。立命館大学経済学部卒業後、日本共産党系の出版社の新日本出版社に入社するも追放され、フリーのジャーナリストとなる。一九八〇年代以降、霊感商法批判やオウム真理教報道で著名となる。二〇〇〇年代から政界に進出、一〇年から二期にわたり参議院議員を務めた（民主党→民進党→立憲民主党）。二二年の選挙で落選し、二三年、安倍晋三死去にともなう衆議院山口四区の補欠選挙に立候補する

も落選した。

＊5　笹川良一（一八九九～一九九五）　大阪府生まれ。戦前は国粋大衆党を組織して総裁となり、翼賛選挙で衆議院議員に当選。戦後A級戦犯として収監されたが不起訴となる。釈放後、競艇事業に進出、全国モーターボート競走会連合会会長、日本船舶振興会（現日本財団）会長として、巨額の補助金を背景に政財界におけるフィクサーとなった。テレビCMでの露出などから、世間一般では社会奉仕活動家としてのイメージも強い。国際勝共連合名誉会長も務めた。

＊6　児玉誉士夫（一九一一～一九八四）　福島県生まれ。一九四一年、海軍航空本部の嘱託となり、上海に海軍物資を調達する「児玉機関」を設置。戦後はA級戦犯に指定されるが、四八年に釈放。保守政界の黒幕となる。六九年、ロッキード社の秘密代理人となり、エアバス選定に暗躍したが、七六年に発覚。八一年懲役三年六カ月の求刑を受けたが判決は病気のため無期延期。死亡により公訴棄却。

＊7　太田房江（一九五一～）　広島県生まれ。東京大学経済学部卒業後、通商産業省に入省。岡山県副知事、通商産業大臣官房審議官を経て、全国初の女性知事として大阪府知事を二期八年務める。二〇一三年、参議院議員に当選。現在、経済産業副大臣。

＊8　田中秀征（一九四〇～）　長野県生まれ。東京大学文学部卒業。北海道大学法学部中退後、石田博英衆議院議員の秘書となる。一〇年間の落選時代を経て、一九八三年の衆議院選挙で初当選。自民党時代は宮沢喜一首相のブレーンを務め、護憲派の系譜を引き継ぐ。九三年、武村正義とともに新党さきがけを結成し、代表代行に就任。同年の細川護煕内閣発足と同時に、首相特別補佐に就任。九六年、第一次橋本龍太郎内閣で経済企画庁長官に就任。九六年に落選後、政界を引退。

リベラル保守の政治家・石橋湛山を理想の政治家像とする。

*9 大石寺 静岡県富士宮市にある日蓮正宗総本山の寺院。一二九〇年、日蓮の弟子である日興が開山。一九二八年、創価学会の初代会長・牧口常三郎と二代会長の戸田城聖が入信し、信徒組織の創価教育学会（のちの創価学会）を設立。七〇年代、大石寺正本堂の建立をめぐり大石寺と創価学会の関係が悪化、九一年に創価学会は日蓮正宗から破門された。

*10 後藤忠政（一九四二～） 東京都生まれ。静岡県富士宮市に疎開後、同地で愚連隊、ヤクザとして活動。一九六九年に後藤組を設立。のちに山口組の二次団体となる。二〇〇二年、山口組若頭補佐となるも、〇八年、山口組を除籍されヤクザを引退。一〇年に出版した自伝『憚りながら』で山口組と創価学会の関係を明かし話題となった。現在はカンボジアで実業家として活動。

*11 ＪＡＬの取材 二〇一〇年に刊行された森功のノンフィクション『腐った翼――ＪＡＬ消滅への60年』（幻冬舎）の取材のこと。同年一月、ＪＡＬは会社更生法の適用を申請、経営破綻し大規模な公的資金注入が行われた。

*12 今井尚哉（一九五八～） 栃木県生まれ。東京大学法学部を卒業後、通商産業省に入省。主に産業政策・エネルギーを所管。第一次、第二次安倍晋三内閣で内閣総理大臣秘書官。福島第一原子力発電所事故後、日本全国の原発を再稼働するために暗躍した。菅義偉内閣で内閣官房参与に着任。二〇二一年、原発メーカーでもある三菱重工業の顧問に就任した。

*13 花田紀凱（一九四二～） 東京都生まれ。東京外国語大学外国語学部卒業後、文藝春秋に入社。雑誌編集者として頭角を現し、一九八八年、『週刊文春』編集長に就任して右派路線を展開。九五年、ホロコーストを否定する内容を掲載した「マルコポーロ事件」を引き起こし、のち退社。

朝日新聞社、角川書店などを経て、二〇〇四年、ワック・マガジンズで右派雑誌『ＷｉＬＬ』編集長に就任。一六年、飛鳥新社から創刊された『月刊Hanada』編集長となる。

＊14　藤原行正（一九二九〜）　旧関東州大連生まれ。一九四九年、創価学会に入信。杉並区議会議員、東京都議会議員を務める。公明党中央執行委員、都議会公明党幹事長などを歴任したが、八〇年代から創価学会第三代会長の池田大作や創価学会・公明党への批判の急先鋒となった。

＊15　コリアゲート事件　韓国中央情報部（ＫＣＩＡ）が、実業家・朴東宣を通じてアメリカ政界への贈賄工作をしていたことが発覚した政治スキャンダル。その過程で統一教会がＫＣＩＡと密接につながりを持ち、アメリカや日本で政治工作を行っていることも明らかになった。

第1章　「闇社会の帝王」許永中

強面のイメージと人たらしの資質

佐高　歴史には権力者の歴史と民衆の歴史があるとはよく言われることですが、両者を歪(ゆが)んだ形で結びつける「闇の領域」というものがあって、私は、その闇の歴史というのも重要だと思うんです。

　森さんも私も物書きとして多かれ少なかれ、闇の人脈とも接点を持ってきた。それぞれが関心を寄せてきたフィクサー的な存在や政商たちを存分に語り合いながら、「闇の領域」を明らかにしてみたい。

　まずは「闇社会の帝王」と呼ばれた許永中(きょえいちゅう)*1なんですが、森さんは『許永中――日本の闇を背負い続けた男』で、その出自と軌跡に迫っている。私は許永中には直接会ったことはないんですが、「特捜のエース」から弁護士に転身して「闇社会の守護神」と言われた田中森一(もりかず)*2と対談したことがあります。田中は私より二つ年上で、許永中とともに石橋産業事件*3で手形詐欺に関わったとして逮捕されるわけですが、田中は私に、許永中が出所したら会うといいですよ、いい人ですよと言うので、へえと思ったんだけど。

森　「いい人」ですか。田中さんらしい言い方ですね。

佐高　そう。「いい人」というのは田中の言い方ですが、相手が闇社会の住人であっても、物書きにとって、心を許すというか、取材対象のキャラクターと相性が合うかどうかというのはポイントになってきますよね。

たとえば、許永中と親交があった亀井静香ですが、私はけっこう近いんです。悪名高き亀井だけれども、肌が合いさえすれば、どこか愛嬌があるんですね。

森 ありますよね。

佐高 ワルの愛嬌というかね。許永中はなぜ森さんを気に入ったのか。彼にしてみれば自分がコントロールできると思っても、森さんはコントロールから外れたことを書く人なわけじゃないですか。

つまり、許永中には、自分がコントロールできる書き手とつき合おうという完全な計算があるわけじゃない。森さんも私も、フリーの書き手というのはそういうものだし、極端なことを言えば、明日どうなるか分からないところで何とか筆一本で生計を立てている。許永中は単に利用するということだけではなく、フリーの物書きのそういう部分も見ていたんじゃないかなとも思うんだけど、どうですか。

森 それはあったかもしれません。だから、コントロールできると思ってつき合っていたのか、そうではないのか、分からないところがある。

佐高 では、あえて逆に、森さんから見た許永中の魅力というところからいきましょうか。

森　魅力ですか。それは一言で言うと、人たらし的なところじゃないですかね。僕が初めて会ったとき、こんなに爽やかな人なのかというのが第一印象でしたね。

佐高　ほう。

森　拘置所の面会室での話です。こちらは緊張するじゃないですか、どんな強面なんだろうか、と。

それまでも許永中とはいろんなところですれ違っていて、様々なことを伝説的に聞いてはいました。許永中の身近な人を僕はよく知っていて、たとえばKBS京都の内田和隆。京都新聞グループの副社長だったかな。KBS京都の内紛に乗じて、許永中が介入していったときに組んだのが内田です。結局その内田も許永中とは袂（たもと）を分かっていくんだけれど、僕はイトマン事件[*4]のころからネタ元にしていました。もう十数年前に亡くなりましたけど。

内田から聞かされる許永中のエピソードというのが、結構エグい話が多くて、たとえば、敵対する相手を拉致して地下室に閉じ込めるんだ、と。閉じ込める部屋をつくっているといってそこを見せられ、「あいつ行儀悪いからここに放り込んでおいたんですわ」みたいなデモンストレーション的なことを言われたとか、周りの子分連中をむちゃくちゃ殴ったりだとか。だから許永中に対しては不気味な印象はありましたね。

佐高　それは、許永中の一般的なイメージとも重なりますね。

森　そう。ところが、面会室でパッと見た第一印象は、それとはガラッと違っていて、非常に声が高くて、はっきりしゃべる。

佐高　金属音みたいな感じ？

森　そこまで高くはない。爽やかな声ってあるじゃないですか。アナウンサーがしゃべるような声で、「森さん、リラックスしてくださいね」と、第一声はそんな感じじゃなかったかな。

佐高　リラックスできるわけないよね（笑）。

森　そうなんですが、許永中は、「私はいつもこんな感じで、ラフな感じで皆さんとおつき合いしますから」というようなことを言うので、こちらは「あれ？」となってしまった。

佐高　意外な一面を見せられたわけですね。

森　そういう感じでしゃべって、その後の手紙のやりとりでも、関係がうまくいっているときは、何でも訊いてくださいみたいなことを言われましたね。そういう意味で、人を惹きつける力はあるのかなと思いました。

佐高　逆に言えば、結局それだけですよね。それだけでのし上がっていくわけでしょう。

森　そうなんです。

佐高　許永中を警戒している人とか、また、会っちゃいけないと思っている人に、取り入っていくわけですよね。

森 取り入って、結局、引っ張り込んでしまう。皆、そうなっていますよね。亀井もそうだったろうし、フィクサーとして許永中と深く関わった福本邦雄*5もそうだったんだろうと思います。

佐高 亀井は、片足の半分以上、闇に突っ込んでいる人という印象もあるけれど、一応東大卒のエリートじゃないですか。

森 警察官僚ですからね。

佐高 それから福本だって東大卒で、元共産党員で、産経の記者。

森 戦前の共産党の理論的指導者だった、福本イズムの福本和夫の息子ですからね。

佐高 だから結局、許永中のほうが彼らよりもっと凄まじい泥水を飲んできてますよね。

森 それは間違いない。

佐高 そうすると許永中から見ると、亀井なんかは「大悪」ではなく「中悪」に見えるのかな。

森 多少は悪を知っているとはいえ、所詮エリートで勉強ができてという優等生のレールに乗ってきた人が、何を言えば喜ぶかとか、許永中は知り尽くしていたと思います。

もう一つは金でしょう。札束をどんどん積んで、これでどうだとやる。許永中のよくやる手としては、プレゼント攻勢ですね。街金融業のアイチの森下安道[*6]のところへは、社員にゴルフの純金のパターをプレゼントしたりする。

佐高　森下にではなくて。

森　そう、森下にじゃなくて、自分の融資窓口の担当者にプレゼントするんです。

佐高　なるほど。現場の心をつかむわけね。

森　担当者はもう、「永中さん、永中さん」という感じで心酔していましたね。一流ブランド店に行って、「ここの右から左まで全部くれ」みたいなことを言って買い漁る。全部他人の金なんだけど、豪快と言えば豪快ですから、皆たまげて、ついつい引き込まれていくんじゃないかなと思いました。

田中森一にしても、許永中のそういう豪快さに引き込まれていった部分があるんじゃないかという気がします。

佐高　田中にしても元検事ですからね。ちゃんとした世界を歩いてきた人だからこそ、許永中の野卑なまでの豪快さに惹かれてしまう。

竹下登[*7]なんかも許永中とはものすごく近かったわけでしょう?

森　近かったですね。だから、よく宴席に引っ張り出されていました。

佐高　私は竹下に会ったことはないですが、ちょっと陰険な感じがあるじゃないですか。

許永中は写真で見る限り、笑顔が印象的ですよね。

森　許永中を評して、笑顔が素敵だと言う人は多いです。

佐高　笑顔がいいというのは、やはり人たらしの資質ではある。

森　そのギャップじゃないですかね。強面のイメージと、優しい笑顔と。

表の世界が養って大きくした存在

佐高　森さんの本のタイトルに「日本の闇を背負い続けた男」とありますね。会社の経営者とか、経団連のトップを見てくると分かるんですが、自分は手を汚したくないけれど、何かやらなきゃいけないという局面が出てくる。

話をつけないといけないときに誰かが必要になる。そのとき、許永中や、そこまでいかなくても、亀井とか、そういう人たちが求められるんですよね。

森　そういう構造が事の本質にあると思いますね。

佐高　だから、さっき森さんが「他人の金」と言ったけど、許永中は表の世界が養って大きくした存在ですよね。

森　結局、経済界が育てたヤクザが大きくなったようなものじゃないかなと思います。もともと、許永中を有名にしたのは東急建設の地上げ[*8]ですよね。東急建設から依頼されて、古川組の組長と組んで関西の地上げで名を馳せていった。

佐高　古川組は山口組系ですよね。

森　ええ、山口組の直参(じきさん)で、この組長も在日ですが、許永中は若いころ、その組長と一緒に、地上げで相手を脅した容疑で逮捕されています。そこから許永中は建設業界で、東急の名代として地上げをやっていったということで名前がわっと広がる。

そういう意味で、表のできないことを闇の住人にやらせていた時代というのがあったわけです。

佐高　ただ、闇は闇でも許永中は完全な闇ではないんですよね。ヤクザではないわけでしょう、一応。

森　そこが彼の売りですね。まあ、指も詰めているから、一時的にはヤクザになったことはあるんですが。

佐高　指を詰めてるの？

森　若いころに詰めています。大学を中退したころですかね。地元大阪の中津で愚連隊として暴れ回っているときかな。

佐高　酒梅組ね、はい。

森　本人が手紙に書いていましたが、JR大阪駅近くの中津のあたりはいろんな人が住んでいて、在日韓国人もいれば同和の被差別部落の人もいればヤクザの親分もいて、許永中はそのなかの組に入るわけです。しばらくいたけれど、そこが嫌になって、ステンレスの包丁で指を詰めて、それを代償にして辞めた、と。

それ以来、自分は暴力団の世界からは遠ざかり、暴力団は最も忌み嫌う存在だ、みたいな言い方をしていました。そのわりには付き合っていますし、利用していますけどね。

佐高 本人のなかでは、かたぎになったということ?

森 と、本人は言っているわけです。

佐高 でもこっちの表の世界から見れば、どう考えても「元ヤクザ」ですよね。

森 そう、「元」ですね。当時はチンピラでしょうけれど。

佐高 そうすると、「白」じゃないわな。

森 もちろん「白」じゃないです。だから警察もそういうふうに見ている。つまり、ずっと古川組の顧問という肩書で許永中を捉えていた。

柳川次郎の影

佐高 許永中は、山口組きっての武闘派で「殺しの柳川」と言われた柳川次郎[*9]ともすごく近かったとか。

森　柳川次郎は許永中にとって、それこそ大阪の地元の先輩にあたるわけです。在日で、山口組の田岡一雄から最終的には破門されるわけですけど、許永中は最後まで柳川次郎の面倒を見ていましたよ。

佐高　そうするとやっぱり、お金を出すということになるわけですね。

森　お金を出すんです。「有恒（ゆうこう）ビル」というのが地元にあった。大阪駅の裏側にあたるところです。

佐高　許永中が生まれたあたりですね。

森　そうです。許永中はそのビルを所有していて、そこの最上階に晩年の柳川次郎を住まわせて、面倒を見ていました。そのビルには許永中の本妻も住んでいましたからね。

佐高　あ、そうなんですか？

森　階は違ったんですが。

佐高　本妻というのは幼なじみみたいな人？

森　大学時代に知り合った鹿児島出身の日本人です。もう一人の奥さんというか愛人は在日の人で、北新地に店を出していました。この女性とは、本妻と同時並行的につき合っていましたね。

佐高　許永中の本妻が晩年の柳川次郎と同じビルに住んでいたというのは印象的ですね。

許永中を語る場合、柳川次郎の影というのも重要な一面であるわけですね。

森　そう思います。柳川組がバックにいるということは、許永中は絶えずちらつかせていますよね。そこは在日としての人脈でもあった。古川組もそうだけど柳川組もそうだった、と。

もう一つは金田組というのがあって、これも山口組のなかでも朝鮮系の人の組です。

佐高　金田という人は若き日、梁石日(ヤンソギル)が『血と骨』で描いたあの凄まじい親父が経営していた蒲鉾工場で働いていたことがあって、金田が済州島だったか、故郷の母親に手紙を書くとき、梁石日が代筆していたと聞いたことがあります。

森　へえ、そんな話があるんですか。

金田は、柳川次郎よりもっと凶暴で、草創期の山口組をつくったうちの一人でもあります。そこに小西邦彦[*10]がいたんです。

佐高　はい、部落解放同盟の活動家でもあった。

森　そうです。小西は金田組から独立して、部落解放同盟の飛鳥支部長として顔を売っていった。許永中は自分は小西の上みたいに言っているけど、取材してみると、実際には小西の手下みたいな立場ですよね。許永中は部落解放同盟の名刺を使って商売をし、それで建設業界へ入り込んでいくという手法を取っていた。

佐高　そうすると、ブローカー的役割を果たしていたということですか。

森　そうですね。

佐高　総会屋ではない？

森　総会屋ではないです。でも株はやっていましたね。

佐高　それは小遣い稼ぎみたいなレベルですか？

森　いや、株は結構本格的にやっていました。買い集めた株を西武の、西武セゾングループへ売ろうとしていた時期もありました。

佐高　堤清二[*11]のほうですね。

森　ええ、西武セゾンへ京都銀行の株を売却しようと交渉していたから、かなりのスケールだったと思います。アイチの森下から金を引っ張ってやっていたという話です。

日本の企業文化に脈々と生きる修養団

佐高　森さん、『巨悪』という、この本を読んだことありますか？　これは私の友達の杉田望という作家が書いているんですが。

森　これは初めてですね。

佐高　杉田望は中国にやたら詳しいんだけど、この『巨悪』は『週刊金曜日』に連載して、小学館文庫に入っている。

森 小説なんですか？

佐高 そうです。「巨悪」というのはまさに許永中のことで、作中では「呂志忠」という名前で出てくる。なかなか面白いんだけれども、結局、小説にしなければ書けない話もありますよね。

森 たしかに、常識的な意味で言えば、それはたくさんあると思いますね。

佐高 杉田望は、推測を交えながら小説にしている。達者な人だから結構いろいろ追いかけているんだけれども、許永中をめぐるキーパーソンとして出てくるのは、亀井静香、福本邦雄、竹下登。

森 この本、ちょっと開いてみると、元総理の竹内悟って書いてありますね。

佐高 そうそう。「岸本国雄」、これが福本ね。

森 なるほど、ノンフィクションと踵(きびす)を接するフィクションというわけか。

佐高 フィクサーたちについては、虚実皮膜の形でしか書けない話があると思うんです。

森 僕は、そこはノンフィクションで何とか書いてやろうと思っています。

佐高 たしかにそこは格闘のしどころですよね。

さっき許永中が田中森一とともに捕まった石橋産業事件の話をしたけれど、それと前後して、バブル期を象徴する巨大経済事件であるイトマン事件がある。

森　石橋産業事件はイトマン事件の少し後ですね。同時並行的な感じだけども。

佐高　二つの事件にはつながりがあるわけですよね。

森　そうです。イトマン事件のときに、中堅ゼネコンの新井組という上場企業と若築建設をくっつけて、合併させてやろうという計画を許永中は練っていました。それを若築建設の親会社である石橋産業に持ち込んだという感じじゃないですかね。

佐高　ああ、なるほど。

あのとき、若築建設の会長が有田一壽だったんです。有田は参議院議員になるわけですよ。最初は自民党で、その後、河野洋平らとともに新自由クラブを結成する。

日本の社長って、みんな説教好きでしょう。有田という人は醜悪な権力者タイプではないんだけども、戦争中から続いているファナティックな企業研修団体の「修養団」というのに関わる。修養団は、三井、三菱、特に住友が後援してきているんです。最初の後援会長が渋沢栄一なんだよ。

森　へえ、そんなのがあるんですか。

佐高　そこの理事長を若築建設会長時代の有田がやっていた。許永中からしたら、こういう人物は一番だましやすいタイプでしょう。「愛と汗で、ありがとう」みたいな信条を社員に押しつけるような人物なわけだから。

森　若築建設って、ある種の名門ですよね。あれはブリヂストン、要するに石橋産業グループの建築部門ですよね。

佐高　新自由クラブの根本体質なんて、そんな感じじゃないですか。

森　なるほど。

佐高　悪に徹しきれない、人に倫理を強要する企業トップがいる。いま修養団というのは形を変えていて、『致知』という雑誌があるでしょう。

森　不動産会社の地産がやっていたやつですか。

佐高　そう、竹井博友[*12]がやっていた『致知』。

森　まだあるんですか?

佐高　まだある。時々日経新聞なんかに全面広告を出しますよ。最近だと登場するのは、こないだ亡くなった稲盛和夫、それからSBIの北尾吉孝、イエローハットの鍵山秀三郎。それから王貞治とか松岡修造とか、こういう人たちが、私たちは愛読していますとか言って出てくる。こういう面々を見ると、修養団はここに息づいていると思うし、不謹慎だけど私は、こいつらみんな、許永中みたいなのに食われてしまえなんて思ったりもするわけです。

森　逆にね。

佐高　修養団は「愛なき人生は暗黒なり。汗なき社会は堕落なり」なんてきれいごとを言う。これは野中広務(ひろむ)が一番好きな言葉だったんですが、こういう発想がいま『致知』でよみがえっているわけです。『致知』は安岡正篤(まさひろ)*13の流れを汲んでいて、安岡はまた修養団の顧問を務めていた。野村證券の田淵節也とか、東京電力の平岩外四(がいし)とかも関わりが深い。

森　なるほど。

佐高　これがいまだに厳然と稲盛なんかに継承されていて、日本の企業文化のなかに脈々として生きているわけです。

森　稲盛も修養団に関わっていたんですか？

佐高　いや、直接、修養団に入っていたというよりも、修養団的考え方が、いま『致知』に流れ込んでいると思っているんです。ＳＢＩの北尾なんかにしても、安岡先生を尊敬していますと。さすがに安岡だって迷惑だろうと思うんだけど(笑)。

森　そうですね。だいぶ違う気もするけれど。

佐高　ただ、北尾なんかはそういうふうに格好つけるでしょう。安岡なんかとのつながりを言うことが、自分の支配体制に有利だと思っている。

森　そういう看板が必要なんでしょうね。つまり、いまの新自由主義的な人たちに修養団的な精神論が受け継がれているということですかね。

佐高　そうです。北尾なんかを見ていると、自分は正真正銘の新自由主義をやりながら、新自由主義はいけませんみたいなことを言うわけでしょう。

森　そうなんですか。

佐高　そう。表向きの道徳的な話では、天命だの、修養だの、謙虚だのと言うわけです。カムフラージュしている。てめえのやっていることの地金をあらわにしたら弱肉強食以外の何者でもないだろう、と。

そういう意味で、北尾みたいな倫理を説く新自由主義者を見ていると、許永中のように剝き出しの悪の力で成り上がった人間のほうがいいなと思ってしまう。そういうことないですか？

森　そういう感じ方は僕なんかもありますよ。だから許永中を書いたというか、やはり人間として嫌いなタイプじゃないんです。体一つでハッタリ利かせて懸命にやってきて、根は優しいところもある。自分もそういう部分に惹かれたんじゃないかなという気はする。弱いからこそハッタリで生きていくみたいなところもあって、そこは人間的な魅力になっていると思います。

佐高　さっき許永中の恫喝（どうかつ）めいたやり方について言われましたが、身内に対しては普段はどんな対応をするんですか。

森　部下とか取引先には厳しいですね。それもハッタリのうちだと思いますけどね。でも家族にはすごく優しい。

佐高　優しさや厳しさもどこまで本気なのか、許永中自身にも分からなかったのではないかと思うんだけど、そういう悪の生存方法も、私には新自由主義者が語る精神主義よりはマシに思えるわけです。

磯田一郎批判と住友銀行の圧力

森　佐高さんは、許永中との絡みというとイトマン事件になりますか？

佐高　そうですね。住友銀行からイトマンを介して数千億が闇社会に流れたわけだけど、住友銀行会長だった磯田一郎[*14]を最初に批判したのは、私なんですよ。『プレジデント』で。それが住友銀行内で大問題になる。

森　『プレジデント』は坪内祐三の親父さんの坪内嘉雄が会長のころですか。

佐高　そうです。坪内嘉雄は書かせたくなかったと思いますけどね。会長に対する圧力なんかすごかったと思うな。

森　でしょうね。彼も許永中とは親しかったらしくて、ロマネコンティを何本も贈ってくるんだと息子の坪内祐三が言っていました。

佐高　あのとき住友の圧力はすごかった。『プレジデント』の編集長の清丸恵三郎というのがちょっと変わった面白い人だったんだけど、ゲラを抱えて必死で逃げ回っていた。で、それがバーッと出る。

あのときは、原稿を書き上げる前日、磯田に会いましたよ。そこで磯田を追及した。私は住友不動産のカリスマと言われた安藤太郎と、磯田一郎の二人を批判していたんです。そしたら安藤太郎は、自分も批判されているのに、私を呼んで、「よくやった」と言う。私は、あんたのことも批判しているんだと言ったんだけど、いや、それはいいんだとか言うんです。磯田がよほど憎かったんでしょう。

書いた後で、住友銀行の若手たちが内橋克人さんか私に新たなネタを流そうと思っていたという話も聞こえてきました。

森　生々しい時代の証言ですね。

佐高　連日のように、住友銀行の広報担当常務なんかが、プレジデント社に来るわけです。書かないでくれ、出さないでくれ、と。

森　でも佐高さんは脱稿直前に磯田に会えたわけですよね。

佐高　最初はもちろん磯田は会わないと言っていたけど、締め切りギリギリになって急に会うと言い始め、入稿前日に麻布の社宅に行ったんですよ。

森　へええ。

佐高　私は一応、住友の伝統として、「住友中興の祖」と言われ企業の社会的責任を説いた伊庭貞剛（いばていごう）のことを戒めみたいに引いた。そうしたら磯田は、「伊庭貞剛は古い」と言ったんだよ。そう漏らしちゃった。それを言っちゃおしまいよと私は思って、そのこともしっかりと書いた。その後、あれは言いすぎたから変えてくれって言うんだけど、冗談じゃない、そんなことできない、と。それで、その記事は大問題になったらしい。
　その話が元住銀の、先日亡くなった國重惇史（くにしげあつし）が書いた『住友銀行秘史』に出てくるわけです。

森　そうでしたか。

佐高　当時の私はいま以上に執念深かったから、そのことを『エコノミスト』のコラムでまた書いた。そしたら今度は、『エコノミスト』のコラムが問題になったんだね。住銀はまさに恐怖政治でした。
　磯田は、住銀で先輩にあたる安藤太郎を「安藤君」って言ったという、そういう分かりやすい話も私は書いたから、そういう部分も大問題になったらしい。

森　でしょうね。しかし、清丸氏はよく逃げ切って、記事を公にしましたね。

佐高　だから清丸はその後、間もなく辞めましたよ。住友グループはずっと地上げをしてきたでしょう。その話も書いた。あれが一番嫌だったんじゃないかな。

森　そのネタを取ってきたのは佐高さんなんですか？

佐高　もとは清丸が持ってきた。私は三和銀行の筋からのネタじゃないかなと思っていました。

森　なるほど。

佐高　あくまで推測ですよ。住友と三和は大阪でライバルだから。

森　あり得ますね。

佐高　三和に行くと、いやあ、住友さんの悪口は言いたくないんですよねと言いながら、延々としゃべるのよ。住友に行くと三和の話をたっぷり聞ける（笑）。それを私は使ってきたから、清丸もそうだったんじゃないかと思うんだ。地上げの話は、かなり自信をもって、大丈夫だからって言ってたな。

住銀の中にいる人にとっては死活問題でしょう。それこそ、極端なことを言ったらつぶれかねない話だよね。

住友銀行東京本店糞尿事件

佐高　森さんには釈迦に説法だけど、イトマン事件というのは、住友銀行による平和相互銀行の吸収[*15]から始まるわけですよね。

森　そうですね。

佐高　「闇社会の貯金箱」と呼ばれ、右翼や総会屋と密接につき合ってきた平和相互を住友が吸収しようとしたわけです。それはなぜかというと、結局、住友というのは地方区の銀行だったんだね。全国区の銀行ではなくて。銀行協会の会長にもなれないし、まして日本銀行の総裁はあり得なかった。堀田庄三[*16]なんかはなりたかったんだけど、結局なれない。おまえのところなんか、という感じで見られてきた。そこで、大きくなるために平和相互をつかんじゃうわけです。

そこに大蔵大臣だった竹下登が絡む。竹下は、住銀と平和相互とイトマンを結びつけたフィクサーの佐藤茂[*17]と懇意だった。一方に、平和相互吸収に反対する良識派の小松康という頭取もいた。そこで住友銀行東京本店糞尿事件が起こる。東京本店に糞尿がばら撒かれた。闇社会が、俺たちとの関係を切ろうというのかと脅したわけです。

すると磯田は慌てて、闇を切らないで突然小松の首を切る。小松は任期満了寸前に解任されるわけです。磯田は『経済界』の佐藤正忠[*18]に、小松君は問題だったとしゃべらせて、住銀は闇社会との連携にさらに向かっていく。そこでイトマンを頼るという、こういう流れでしょう。

金屏風事件の深層

森　僕は、平和相互銀行事件については、その後、それこそ田中森一さんとかからいろいろ話を聞きましたけど、リアルタイムで取材をしていたわけじゃないので、佐高さんからいま話を聞くと、流れを改めて押さえ直せた感がありますね。

佐高　田中森一は平和相互銀行事件を捜査していたんですか？

森　田中さんから、そう聞きました。合併に反対していた平和相互の実権派四人組の役員がいたじゃないですか。

佐高　元東京地検特捜部の検事で、「カミソリ伊坂」とか言われた伊坂重昭ね。そうか、伊坂も元検事ですものね。『プレジデント』に書いた後、私は伊坂にも会ったけど、人間的な魅力は、はるかに田中のほうがあったな。

森　なるほど、たしかに田中さんには魅力がありました。田中さんは、平和相互銀行が融資していた関西の同和系の企業の捜査なんかも進めていたと言っていましたね。

佐高　金屏風事件ですね。フィクサーの佐藤茂に売却された平和相互銀行の株を買い戻そうと、伊坂が四〇億で金屏風を購入したという。しかし株は戻らなかった。

森 あの件を田中森一が捜査していた。だから田中さんが辞める理由の一端でもあったんじゃないですかね。

佐高 つまり、金屏風事件には、竹下登が一枚も二枚も嚙んでいたわけでしょう。

森 竹下の秘書の青木伊平が金屏風事件の取引に具体的に関わっていた。特捜部内では、ちょうど関西から応援というか人事交流を行って、金屏風事件などについて捜査を進めていたわけです。田中さんが東京地検特捜部に派遣された最初の事件が、たぶん平和相銀事件だったと思います。

佐高 だから、田中はまともな検事だったんだよね。

森 もともとはそうだったんだと思います。捜査は、特捜内部ではかなり士気が上がっていたのに、突然捜査を止めろと言われるわけです。田中さんは頭にくる。

彼は、平和相互銀行事件、山一證券と総会屋による三菱重工転換社債事件、苅田町長の汚職事件などを担当したんです。最終的には、苅田町長汚職事件が引き金になって検事を辞めていくわけですが……。

佐高 田中はそもそも平和相互銀行事件で、自民党の政治家をも対象にした捜査を始めて、パージされた、と。

森 そういうことだと思います。

佐高 それで田中は挫折するわけですが、その挫折に絡んでいたのは、やはり竹下登だろう。検事総長だった安原美穂は京大で磯田一郎と同級生、後に住銀の顧問弁護士になっている。竹下は田中に危ないところまで突っ込まれると思って、そういうネットワークも使って、捜査を強制的に止めさせたんじゃないか。

森 そうだと思いますね。青木伊平の自殺というのもあったんでしょうけど、いずれにせよ捜査は打ち切られてしまった。平和相互銀行事件は、伊坂ら平和相互銀行の実権派四人組が特別背任罪に問われて逮捕されるというだけで終わってしまった。

本来なら、あそこから住友銀行および竹下にメスが入れられなければおかしい。時価二億円くらいの金屏風を四〇億という異様な高額で買い上げさせて、その差額を献金に使うという手法ですよね。八重洲画廊の真部俊生（まなべとしなり）が、竹下の裏金をつくってやったということです。

佐高 『プレジデント』に書いた後、私は真部にも会っている。

森 へえ、そうなんですか。

佐高 真部からは福本邦雄の名前も出たけど、福本自身は金屏風事件への関与を否定している。福本も画商みたいな面があるよね。

森 まさにそうです。「フジ・インターナショナル・アート」を興したわけですから。

佐高　絵というのは値段があってないようなものだから、格好の隠れ蓑になるんですね。
森　イトマン事件で許永中がイトマンに買わせた絵には、福本のフジ・インターナショナル・アートから買ったものも含まれていた。

堤清二のもう一つの顔

佐高　森さんは、イトマン事件を追いかけていて、その過程で許永中と出会うわけですよね。
森　そうです。イトマンの不良債権問題が日経新聞に出る前後ですかね。あのころ、怪文書とか出てきたじゃないですか。それこそ……。
佐高　実は國重と日経の大塚将司が書いていたという、イトマン有志の内部告発を装ったやつね。
森　あれは知らなかった。松下武義という住銀の常務がいたじゃないですか、磯田にニューヨークに飛ばされた。
佐高　後の徳間書店の社長ね。
森　ええ、松下が、磯田に飛ばされたこともあってあの怪文書を書いたのかなと僕は思っていて、そう考えていた人も多かっただろうけど、でも実際は國重と大塚がやっていたと分かった。

不良債権問題を追いかける中で、許永中、伊藤寿永光（すえみつ）[*19]がイトマンを食いものにしている構図が浮かび上がってきた。伊藤寿永光は山口組系の人間だと言われていました。取材してみると単なる地上げ業者なのですが、宅見組長と親しく、宅見がイトマンに送り込んだんじゃないかと考えられていた。その伊藤はイトマンの常務にまで就任する。こんな人物が常務になるとはどういうことだというのが、あのときすごく話題になりましたよね。

佐高　妙にイケメンでね。西武セゾングループの高級美術・宝飾店「ピサ」に勤める磯田の娘とできていたという話もあった。

森　あれはどうなんですかね。僕はいまでも時々、伊藤とは会うことがあります。

佐高　あ、そうですか。

森　ええ。伊藤が出所してから何度か会いました。最後に会ったのは一昨年だったかな。いまはおとなしくしていますけどね。奥さんが一切表に出るなと言うんだと言っていました。伊藤と磯田の娘の関係というのはどの程度のものだったのか。

佐高　でも、娘の話だけで磯田はあそこまで踏み込まないでしょう。住銀はイトマンに何千億円も投入するわけですから。

森　やはり絵ですよね。磯田からイトマン社長の河村良彦[*20]に電話がある。「ロートレックの買い手はいないか」と。それで河村は伊藤に相談して、伊藤は許永中に相談して、西武ピサが買い付けた絵を何十億円分も買い上げるわけですね。そこからイトマン事件の泥沼が始まるわけです。

佐高　まったくの推測だけど、そこには堤清二も関わっているわけでしょう。

森　はい。

佐高　堤清二は無関係ではないよね。

森　無関係ではないと思います。清二は許永中とも接点がありますしね。

佐高　あ、そうなんだ。

森　それこそ京都銀行の株をめぐって、堤清二が京都銀行の大株主になりたくて、許永中を介して京都銀行の株を買い占めようとしました。しかし最終的には取引の段階になって清二が逃げちゃうんです。ヤバいと思ったんでしょうね。烈火のごとく怒った許永中は堤清二を憎んだ。

許永中はロートレック買い上げの件でも、西武百貨店つかしん店外商部家庭外商三課長の福本玉樹を使って、絵画の鑑定書を偽造したり、いろいろやっていました。西武セゾンとは妙な因縁（いんねん）があるんですよね。

佐高　堤清二という人の表の顔、つまり元共産党員、詩人にしてセゾングループ代表という知られた経歴とは別の、もう一つの顔だよね。

森　それが「闇の領域」に関わっていた、と。僕もそう思いますね。

佐高　一九五〇年代前半には親父の堤康次郎の議員秘書をずっとやるでしょう。

森　はい、そうでしたね。

佐高　だから、政治と経済の接点、そこに生じる闇の領域を嫌というほど見てきたはずだよね。

森　たしかに、そうですね。

佐高　また、ダーティなことに手を染めるのが嫌いじゃない人だよね。

森　そう思います。清二が率いたセゾングループの西洋環境開発という、不動産デベロッパーが、要するに地上げをやってリゾート開発をやっていく中でいろんなことがあった。

佐高　清二は角栄の日本列島改造論の時代からバブルまでを、不動産開発で駆け抜けたとも言えるわけですよね。

森　最終的に不動産部門が足を引っ張っちゃいましたからね。セゾンが倒れる原因にもなった。その中でダーティなつき合いは相当にあったと思いますね。

許永中とも、そういう局面で接点があったと思いますよ。許永中の周りの人間はセゾンとさかんに取引していました。

佐高　清二はそういう闇の存在をあまり警戒しない。

森　そういうつき合いでも、イケイケですよね。福本邦雄とは共産党の東大細胞以来の同志的関係もあった。

佐高　そうか、福本という存在が清二と許永中を結びつけた可能性もあるな。

森　大きいと思いますね。

佐高　福本邦雄には森さんは会ってるんですか？

森　僕は会ったことないんです。会って話を訊きたいとは思っていました。

佐高　福本を囲む会がいろいろあったらしいですね。

森　三宝会ですかね。表向きの目的は、NECの関本忠弘を経団連の会長にしようという集まりですね。

佐高　はなから無理な相談だね。だって関本はNECを駄目にした男だよ。

森　そうなんでしょうけど、福本邦雄が音頭を取って、そのためにつくられた会で、内調（内閣情報調査室）の大森義夫とか、亀井静香、森喜朗といった人たちが集まって、マスコミの連中も集めて、勉強会というか懇親会というか、そういうことをやっていた。

佐高　なるほどね。ま、たしかにそういうしょうもないのが経団連会長になるとも言えるんだけど。なりたくて、ばらまいて、メディアを使ってというやり方で。福本はそんな動きもしていたんですね。

森　まさに分かりやすいフィクサーですよね。

佐高　住銀常務から磯田の肝煎りでイトマン社長になった河村良彦には、森さん会っている？

森　河村は何度も会いましたよ。

佐高　磯田の嫌なところは、河村のようなエリートでないのを引き上げて、汚れ役をやらせるというところにもあるよね。河村は戦時中は中国戦線で過酷な日々を送り、住銀には高卒入社、入ってから苦学して関西大学の夜間を卒業している。

森　住銀副頭取で、首を切られた西貞三郎も高卒入社ですよね。やはり入行後に苦学して関西大学の夜間を卒業している。

佐高　そうでしたね。磯田手下の二人は経歴に重なるところがあります。

森　河村は逮捕されましたけど、西は逮捕されていない。でも、首を切られましたからね。

佐高　光進事件のときですね。

森　ええ。仕手筋グループ「光進」の株価操作をめぐる不正融資に住銀青葉台支店が関わっていたことが発覚し、光進の小谷光浩とつながりがあった西は切られる。

佐高　磯田は、「向こう傷を問わない」とか言ったわけだけど、向こう傷を問わないという収益至上主義は、悪いことも平気でやれと、トップが号令を下しているということだったわけです。

住銀融資第三部の闇

佐高 磯田配下を次々批判したいんだけど、数年前に亡くなった西川善文[*21]がもっともらしい顔して『ザ・ラストバンカー』なんていう本を出して、「現場の仕事人生」とか謳われてたけど、私に言わせれば、西川はイトマン事件のときの、磯田の号令下の現場行動隊長。そういう意味の札付きの「現場」にしか生きてきてないのに、「ラストバンカー」なんておこがましいにも程がある。

そして西川は小泉純一郎によって日本郵政の社長として送り込まれるわけです。だから私は、かんぽの宿売却問題は、西川を通じてイトマン・ウイルスがかんぽの宿に流れ込んだんだと言ってきたんだ。

森 西川は住銀の融資第三部という、まさしく不良債権の処理場みたいなところで部長をやってきたわけですよね。

その後、住銀の名古屋支店長射殺事件とかが起きるじゃないですか。事件との関わりは分からないけど、でも射殺された支店長の畑中和文は融資第三部案件を多数抱えていて、僕は取材しましたけど、事件の少し前に平和相銀が絡んだ、神戸の山林、通称「屏風」と呼ばれた土地売買の件で脅されているんですよね。

佐高　「屏風」土地売買事件というのは、イトマン事件のもっと前の話ですね。

森　そうです。だから脅されたのはずっとあと。平和相互銀行事件からイトマン事件にかけての住友銀行の土地をめぐる不正融資、融資第三部が関わった負の遺産は、その後もずっと引きずっていた。いまでは忘れ去られてしまい、そういう意味で「ラストバンカー」になっちゃいましたけど、西川はそれらの責任は全然問われないままでしたね。

佐高　まさにそういうことです。名古屋支店長射殺事件の話になりますが、あれはすごく安全なマンションだったんでしょ。

森　当時としては最新のオートロックでしたね。

佐高　森さんも他人事でないかもしれないけど、私も一時期、変な電話が神田の事務所にしょっちゅうかかってきて「おい、いまいるな」とか、いろいろヤバいことがあったんですよ。

森　そうでしたか。

佐高　それで、友人に警察を退職した元刑事の知り合いがいて、その人にでも相談したほうがいいと言われて相談したわけです。

当時、部屋を借りていたのは二階建ての古い探偵事務所みたいなビルだった。だから、誰でもすっと入ってこられるんです。だから私は、安全的に問題だから、もっとセキュリティがしっかりしたところに越そうと思った。

そしたら元刑事は違うことを言う。「佐高さん、それは違う。いつ誰が入ってくるか分からないということは、逆に安全なんだ」と言うわけです。それで私は、名古屋支店長のことを思い出したんです。セキュリティの厳重なところは、入ったら誰も分からないわけでしょう。

森　入ってしまえば、たしかに。

佐高　だから、いつ誰が来るか分からない場所というのは、狙う側にとっても大変なんだって。

森　衆人環視されているというわけですね。

佐高　そう。ああ、そうなんだとそのままにして、そのうち電話もこなくなったからよかったんだけど。森さんはそういうことはない？

森　電話とかはありますよ。闇社会の人たちって不思議で、うちの長男坊の名前はもちろん、小学校のクラスまで知っている。名前を言って、「おまえの息子は六年何組にいるだろう」と言うわけです。それがどうしたのと言うしかないけど、不気味ですよね。

佐高　それは何を追っかけていたとき?

森　イトマン絡みか、佐川急便事件だったかもしれない。ある意味で大した調査力だな、と。

佐高　溝口敦さんみたいに刺されても平気という人は、めったにいないからね。

森　やはり怖いし、嫌ですよね。

高野山に出家した住銀マン

佐高　襲撃とは反対の接待話なんだけど、『プレジデント』で書いた後、ちょっと面白いことが二つあって、一つは、知っている記者を通じて、臼井孝之という住友銀行の常務から渋谷の料亭にお呼びがかかった。臼井という人は気の置けないところがあって、開口一番、「広報に今日会うのを止められましてね」とか言われた(笑)。佐高に会うなんてとんでもないという話なんだろうけども、それを笑ってしゃべるような人だった。

森　それは大したものですね。

佐高　もう一つは、西川善文とほぼ同期、西川が一九三八年生まれで、阪大を出て六一年に住友入行。同じ三八年生まれで東大法学部を出て、西川より一年遅れて六二年に入ったのが島村大心(だいしん)。大きい心ってこれは後でつけた名前で、この人はロンドン、ニューヨークなどの海外支店勤務をへて、九〇年に取締役法人部長になる。翌九一年に退職して高野山に入った。

森　まさしく事件の渦中ですね。出家したわけですか？

佐高　そうです。嫌になったんでしょうね。

そして九三年、名古屋の中京テレビが、島村さんに会いませんかと言ってきた。それで島村と対談するために、私は高野山に行ったんです。面白い人でした。住銀の取締役になった人が、便所掃除をやってるわけですよ。

森　高野山の便所掃除を。

佐高　そう。お茶出しをしたりね。残念ながら亡くなったんですけれども、息子が成人したから住銀を辞めたと言っていました。辞めたかったんでしょうね。

森　へえ、そういう人がいたんですね。

佐高　イトマン事件のときの住友なんて、まともじゃないわけですから、まともな感性があったらやってられなくなる。

その島村という人が亡くなった後、修行時代のことを書いた本を送ってもらいました。それで、対照的な西川が『ザ・ラストバンカー』を書いてベストセラーになってるのを見て、ふざけるなという感じがしたわけです。何がラストバンカーだ、ワーストバンカーじゃねえか、と。

森　いや、まさに。僕は住銀の広報担当常務だった森川敏雄から麹町の料亭「藍亭」に呼び出されたことがあります。ニューオータニに古くからバーも構えている料亭だった。

佐高　森川、後に頭取になったね。むこうは森川だけですか?

森　森川と、もう一人役員と、あとは広報部長だったかな。僕が『週刊テーミス』にいたときのことですが、こちらは社長の伊藤寿男とデスク、3対3でした。

佐高　問題は何だったんですか?

森　最後の怪文書です。磯田の娘のことを書いた怪文書があって、それを入手したんです。住友信託が低利で融資して、磯田が娘の園子にマンションの何部屋かを買い与えているというやつなんですよ。それを磯田のところに持って行った。磯田はギョッとして、これは出さないでくれと言っていましたけど、こちらは無視して記事を書いた。

　その最後の怪文書が出て、いよいよ磯田がボロボロになってくると、住友銀行はコロッと態度を変える。すべては磯田のせいだ、みたいな話になってくるわけですね。

佐高　そうそう。

森　いままで磯田のことをさんざんかばっておきながら、磯田犯人説に変わっていって、最後本人は追放されてしまう。

磯田の最後は、哀れだったじゃないですか。自分が頭取に据えた小松康を切って、巽外夫を頭取に据えて、その巽に追い落とされた。自業自得ではあるんだけど。

佐高 つまり住銀は、トカゲのしっぽ切りならぬ、頭切りにいくわけだよね。

森 そう、頭切りされたんですね。その挙げ句、最後は認知症になってしまうわけだから、何がしかの哀れをもよおすところがある。

佐高 イトマン事件は、しかし、あれで終止符ではないでしょう?

森 その後も、阪和銀行副頭取射殺事件、福徳相互銀行強奪事件、住銀名古屋支店長射殺事件とかがあり、企業テロみたいなものが頻発しましたよね。

佐高 ああ、多かったですね。

森 最近はないと言えばそうなんだけど、闇の勢力そのものが弱くなっている。

佐高 それと、表と裏という区別自体が、竹下あたりからかもしれないけれども、なくなってきたよね。

森 それはやはりイトマン事件以降じゃないかと思います。ヤクザ者が堂々とイトマンと取引していたわけですから。

佐高 露骨に言うけど、菅義偉なんてどう見ても表の顔じゃないもんね。

森 そうですよね。

佐高　表の顔でない人が表の顔になってしまったという、そういう時代の大変化がある。

森　バブルのころは、裏の人間が金を持ちすぎた。どんどん闇社会に金が流れていって、羽振りが良くなってそれが表に濁流となって流れ出てきてしまったということですよね。

　昔はヤクザといっても博徒とかテキヤとか、いい格好していても分をわきまえたところもあり、表の世界でめちゃめちゃ派手に振る舞う人はいなかったけど、バブル期はひどかったですもんね。

正義を振りかざすだけでは闇は抉れない

佐高　イトマン事件のころ、許永中の事務所が帝国ホテルにあったと聞いたことがあるけれど、あれは本当ですか？

森　一時期ありましたね。僕はそこへは行ったことないんですけど、話はもちろん聞いていました。

佐高　インペリアルタワーのほう？

森　そうです。帝国のタワー棟のほうに事務所を構えて、虎の皮の敷物みたいなものを敷いたりして飾っていると言っていました。虎が好きなんですよ。

佐高　へえ、面白いですね。森さんが許永中との往復書簡を出すという話はどうなりましたか？

森　結局、往復書簡は本にしてないんです。著作権の問題があって。

佐高　そうか、ケンカしちゃったからね。

森　そうです。許永中が著作権を主張すれば出せないということで、内容的にはこういうやりとりをしましたということは書いたんですが、そのものズバリは出せてない。というか、たぶん永遠に出せないですね。

佐高　以前、中坊公平（なかぼう）[*22]と対談集を出して、中坊全盛時代だったからかなり売れたんですよ。続編も出した。続編もそこそこ売れて、でもその後、私が中坊を批判した。中坊から一時間電話で責められました。対談集、売れてるんだから文庫にしたらどうかという話もあったんだけど、中坊が承知しないだろうということになって、それはそうだろうと思いました。

私はその後、宮崎学と共著で『中坊公平的正義とは』という批判本を出すんですが、いま考えても中坊のような正義と悪、裏と表の二分法では、両者が密通する「闇の領域」は暴けないですよね。

森　たしかに正義を振りかざすだけでは闇は抉れない。

佐高　闇や悪の魅力を語り始めるとこちらも吸い寄せられそうになってヤバいところもあ

るけれど、許永中以上のスケールの人は出てないような気がしますね。

森　それ以降はあまりいないですね、あそこまで象徴的な、いかにも悪役という人は。

佐高　許永中は自分を大きく見せていく一つのきっかけとして、オリンピックを利用するでしょう。

森　ソウルオリンピックですね。あれも見事と言えば見事でした。

要は、ソウルオリンピックに合わせて大阪国際フェリーを就航させて、自分はKOC、韓国オリンピック委員会の肩書を持つまでになるんですよね。

当時の全斗煥（ぜんとかん）大統領と仲良くなって、中曽根なんかを韓国に呼ぶ。それをミスコリアに出迎えさせて、そこで写真を撮って韓国の週刊誌に載せる。逆に今度はミスコリアを大阪に呼んでパレードをやったり、そういう仕掛けをやっているわけですね。

そういう意味ではプロデューサーとしての構想力もあったんでしょうね。

佐高　それは凄い。闇の日韓連帯と言うか、もはや外交的スケールですね。

オリンピックと絡んで相撲への接近もありましたよね。

森　ソウルオリンピックの後に、許永中は大阪オリンピックを画策して、それが石橋産業事件にもつながっていくんだけど、許永中は大阪オリンピック招致運動を始めるわけです。

相撲をオリンピック競技に入れるということを掲げて、相撲界に接近していく。吉田司家という九州の相撲の総本山みたいな神社の、そこの三種の神器を吉田司家から譲り受けて、それを使って相撲界に食い込んでいくわけです。

当時の出羽海（のちの境川）日本相撲協会理事長と一緒に、自衛隊機で硫黄島を訪問したりもしています。

佐高　境川って佐田の山ですか？

森　そうです。その理事長時代の境川を自衛隊機に乗せて、貴乃花と曙を連れて、硫黄島で土俵入りさせている。記念撮影みたいな写真があって、許永中が端っこのほうに写っている。それを僕は『週刊新潮』で書きました。で、その金はどこから出ているかと言うと、石橋産業から出ているわけです。

佐高　そういう仕組みを考えつくというのは、驚かされますよね。

森　発想が凄いと思います。

佐高　大衆が何を喜ぶかという勘所をつかんでいる。

森　ソウルオリンピックの成功体験があるから、それを大阪でやれば自分が日韓の懸け橋になれるし、自分は裏方でもいいからと、どんどん突き進んでいったわけです。こうなれば、褒めるようでヘンですが、大したものですよ。

佐高　日韓を股にかけた、許永中のそうした事業欲には、彼の在日という出自も関わっていたんでしょうね。

森　許永中を突き動かした情念として、明らかにあったと思います。

佐高　それは、許永中という「闇社会の帝王」の背後に、日本の現代史が強いた闇がある、ということにもなる。森さんの本のサブタイトルの意味は、「日本の闇を背負わされた男」ということでもある。

フィクサーを語ることの意味は、こういうところにもある気がします。

＊1　許永中（一九四七～）　大阪市大淀区（現北区）中津生まれ。在日韓国人二世。大阪工業大学在学中から愚連隊を率い、裏社会人脈を築く。大学中退後、建設や不動産などの事業を展開する一方、大谷貴義、福本邦雄といったフィクサーの知遇を得て政財界に人脈を広げる。一九九一年にイトマン事件、二〇〇〇年に石橋産業事件で逮捕。保釈中の九七年九月、ソウルで失踪。九九年一一月に都内で身柄拘束される。二〇一二年一二月、母国での服役を希望し、ソウル南部矯導所に入所。一三年九月に仮釈放された。

＊2　田中森一（一九四三～二〇一四）　長崎県生まれ。岡山大学法文学部在学中に司法試験合格。一九七一年、検事任官。大阪地検などを経て東京地検特捜部で撚糸工連汚職、平和相互銀行不正融資事件、三菱重工CB事件などを担当。八七年、弁護士に転身。山口組若頭の宅見勝、イトマン事件の被告・伊藤寿永光、仕手筋の小谷光浩などの顧問弁護士を務める。二〇〇〇年、石橋産業事件をめぐる詐欺容疑で東京地検に逮捕。〇八年、懲役三年の実刑が確定して服役した。

＊３ 石橋産業事件 一九九六年一月から九月にかけ、許永中らが商社「石橋産業」から約一七九億円の約束手形を詐取した事件。許らは、相続に絡んで散逸した自社株の回収を進めていた石橋産業側に接触、株回収を条件に許が保有する建設会社の株一一二〇万株を買い取り、代金として手形を振り出すよう石橋産業に要求。しかし、この株は許が八九年にノンバンクから融資を受けた際に担保として差し出したもので、このノンバンクは一部を他の金融機関への担保に使っていた。捜査の過程で、石橋産業から中尾栄一元建設大臣に賄賂が渡った汚職事件も判明した。

＊４ イトマン事件 大阪の中堅商社「イトマン」から三〇〇〇億円の資金が闇社会に流出した事件。〝戦後最大の経済事件〟とも称される。一九九一年七月、同社の河村良彦前社長が自社株取得容疑、伊藤寿永光元常務と許永中が特別背任容疑で大阪地検に逮捕。バブル経済下でもてはやされた絵画ビジネスが初めて罪に問われた。許が保釈中に逃亡するという異例の展開を経て、初公判から一四年が経過した二〇〇五年一〇月、許は懲役七年六カ月、罰金五億円、伊藤は懲役一〇年、河村は懲役七年の実刑が確定した。

＊５ 福本邦雄（一九二七～二〇一〇） 第二次共産党結党時の理論的指導者だった福本和夫の長男として生まれる。東京大学経済学部卒業後、入社した産経新聞社から一九五九年に第二次岸信介内閣の椎名悦三郎内閣官房長官秘書官に出向。六一年に独立し、コンサルタント会社や画廊を経営。そのかたわら、いくつもの政治団体を主宰し、自民党と経済団体の橋渡し役となる。八九年、許永中の要請によって旧ＫＢＳ京都（京都放送）社長に就任するも、前社長がイトマン事件に絡んで受けた融資の担保として社屋や放送機材を入れていたことが判明し、辞任。

＊６ 森下安道（一九三二～二〇二一） 愛知県生まれ。バブル期に貸付総額一兆円を超える大手ノ

ンバンク「アイチ」を率い、〝街金の帝王〟〝地下経済の盟主〟と呼ばれた。

*7　竹下登（一九二四〜二〇〇〇）　島根県生まれ。早稲田大学商学部卒業後、教師、県議などを経て一九五八年に衆議院議員に初当選、連続一四回当選。田中内閣で官房長官を務めたほか、建設相、蔵相、党幹事長などを歴任し、八七年一一月に竹下内閣を発足。リクルート事件で多額の資金提供を受けていたことが判明し、八九年に内閣総辞職。

*8　東急建設の地上げ　一九八三年四月、東急建設と神戸市内の不動産業者が進めていた山林開発をめぐって、許永中が暴力団古川組の古川真澄組長とともに逮捕された脅迫事件。これを機に警察は許を古川組の相談役と認定した。

*9　柳川次郎（一九二三〜一九九一）　釜山生まれ。一九三〇年、母や弟とともに大阪に渡る。五八年に柳川組結成。六〇年に山口組の直参となる。六九年に柳川組を解散。その後、日韓親善友愛会、亜細亜民族同盟を設立するなど、独自の日韓交流に尽力した。

*10　小西邦彦（一九三三〜二〇〇七）　部落解放同盟飛鳥支部（大阪市）支部長として四〇年近く同和運動に携わる。理事長を務めていた財団法人「飛鳥会」が大阪市から約三〇年にわたって運営を委託されていた新大阪駅前の駐車場の売り上げ金一億三〇〇〇万円余を着服していたとして二〇〇六年に逮捕。

*11　堤清二（一九二七〜二〇一三）　西武グループの創業者である堤康次郎の次男として生まれる。一九八〇年代から九〇年代初頭にかけて、西武百貨店、西友、パルコを中核とする流通グループを、生活総合産業を掲げ幅広い事業を手掛けるセゾングループに育てた。ホテル事業やマンション販売、リゾート開発などにも進出。また、詩人・小説家辻井喬としても活躍、二〇〇七年に芸

術院会員、一二年に文化功労者。

＊12　竹井博友（一九二〇～二〇〇三）　栃木県生まれ。一九四三年、読売新聞社入社、その後埼玉新聞社社主、中部読売新聞社社長などを歴任。ホテルやゴルフ場などを経営する不動産会社「地産」を創業し、社長、会長を務めた。九一年、個人としては史上最高額の三四億円を脱税したとして逮捕され、懲役四年の判決を受けて服役。

＊13　安岡正篤（一八九八～一九八三）　大阪市生まれ。陽明学者。私塾「金鶏学院」、師友会を設立し、東洋思想を研究するかたわら、佐藤栄作から中曽根康弘に至るまで、昭和歴代首相の指南役を務めた。

＊14　磯田一郎（一九一三～一九九三）　一九三五年、住友銀行に入行。七七年に頭取、八三年に会長に就任。十余年にわたって〝二代目住銀の天皇〟として君臨。バンカーオブザイヤー。磯田の長女である黒川園子からイトマンに持ち込まれた絵画「ロートレック・コレクション」の取引がイトマン事件の発端となった。

＊15　平和相互銀行の吸収　イトマンを舞台にした一連の事件は住銀による平和相互銀行の吸収が遠因とされる。一九八六年七月に起きた平和相互銀行不正融資事件（平和相銀事件）は監査役の伊坂重昭ら、経営トップが逮捕された特別背任事件。東京・八重洲画廊社長の真部俊生が彼らに時価二億円の金屛風を四〇億円で買い取らせていたことが発覚。また、この事件では竹下登の秘書で金庫番だった青木伊平と伊坂が料亭で密談していたことが発覚した。

＊16　堀田庄三（一八九九～一九九〇）　一九二六年、住友銀行入行。頭取、会長、名誉会長を歴任し、〝住銀の初代天皇〟〝住銀の法皇〟と称された。

*17 佐藤茂（?〜一九九四） 旧川崎財閥の資産管理会社「川崎定徳」の社長を務める。一九八五年に平和相互銀行の株式を大量に購入し、同行が住友銀行に吸収合併される際の橋渡し役だったとされる。

*18 佐藤正忠（一九二八〜二〇一三） 明治学院大学在学中、家族への仕送りと学費捻出のため易者として全国を回る。リコー社長・市村清の私設秘書を経て、フェイス出版（のちに経済界）を創設。雑誌『経済界』主幹を務めた。

*19 伊藤寿永光（一九四四〜） 愛知県生まれ。一九七七年、協和綜合開発研究所を設立。名古屋を拠点に結婚式場や賃貸ビル業などを手掛けた後、東京に進出。地上げのプロとして頭角を現す。河村良彦イトマン社長の信頼を得て、理事・企画監理本部長として九〇年二月同社に入社。六月に常務に就任するも、疑惑表面化後の一一月に解任される。イトマン事件で逮捕。

*20 河村良彦（一九二四〜二〇一〇） 旧制山口商業高校を卒業し、一九四一年に住友銀行入行。本店営業部次長を経て渋谷、銀座、人形町などの支店長、常務・本店支配人を歴任。七五年、当時の会長堀田庄三、副頭取の磯田一郎に、経営が悪化していたイトマンの再建を命じられ理事として派遣される。同年一一月、社長に就任。社長在任一六年にわたる長期政権を築き、新規事業に着手、超ワンマン社長として君臨した。

*21 西川善文（一九三八〜二〇二〇） 大阪大学法学部卒業後、一九六一年に住友銀行入行。常務、専務などを経て九七年に頭取に就任。二〇〇一年にはさくら銀行を合併して誕生した三井住友銀行の頭取に就任。〇六年に民営化された日本郵政の初代社長に就任するも、かんぽの宿の売却問題などで批判され、〇九年に退任。

＊22　中坊公平（一九二九〜二〇一三）　京都市生まれ。市民派弁護士として森永ヒ素ミルク中毒事件の民事訴訟や豊田商事事件の破産管財人を務める。一九九〇年から九二年まで日弁連会長、九六年に住宅金融債権管理機構（後の整理回収機構）社長に就任。債権回収が強引との批判も受け、二〇〇二年には在任中の回収をめぐって詐欺容疑で東京地検特捜部に刑事告発された（のちに起訴猶予）。

第2章

国家を支配する「フィクサー」葛西敬之

国鉄改革三人組

佐高　この章ではJR東海の葛西敬之(よしゆき)*1を扱いたい。葛西は昨年五月に亡くなり、その半年あまり後に森さんの『国商――最後のフィクサー葛西敬之』が刊行されました。これまで、葛西の安倍への影響という面はさほど取り上げられなかった。また葛西の素顔も伝えられなかった。森さんの本は丹念な取材でそこを描き出しています。葛西こそが安倍政治の元兇と呼ぶべき存在だということが、この本でよく分かる。

森　葛西をよく知る佐高さんにそう言っていただけるとありがたいです。

佐高　まさに「国商」というのは、「政商」のさらに上の存在ということだと思います。あとで詳しく話しますが、二〇一七年の日米首脳会談で、安倍がトランプに高速鉄道プロジェクトを売り込むのを見て、葛西は「よくやってくれた」とほくそ笑むわけです。そういう国家規模というか国際規模のプロジェクトに介入するスケールと、もう一つ、安倍を利用してNHK人事にも介入し、ためらいなく思想統制に踏み込むという支配欲、権力欲、それと自信ですよね。これは異様なものがある。こういう桁違いのフィクサーぶりは、葛西が国鉄民営化という、いまの新自由主義社会を生み出すきっかけになった、とんでもない国家事業に関わったからだと思います。葛西との因縁で言うと、かつて私は国鉄の分割民営化に反対していたので、そのいきさつも交えて話したいと思います。

国鉄改革三人組というと、井手正敬（まさたか）[2]、松田昌士（まさたけ）[3]、そして葛西というふうになるわけですけども、やはり葛西が一番過激というか急先鋒でしたよね。

森　そうですね。この三人は年代が少しずつ離れているんですね。井手が一九三五年生まれ、松田が三六年生まれ、で、葛西が四〇年生まれとなる。

佐高　一番下の葛西が一番アクティブだった。

当時有名になった葛西の発言があります。一九八六年五月二一日に、国鉄本社職員局次長だった葛西は動労（国鉄動力車労働組合）の幹部役員を前に講演して、当時の国労（国鉄労働組合）の山崎俊一委員長の腹をぶん殴ってやろうと思いますと笑わせた上で、「不当労働行為は法律で禁止されていますので、私が不当労働行為をやらないと言っているのは、つまり、うまくやるということでありまして」と言った。これはかなり問題になったんですよ。

つまり葛西は、国労と動労に対してストによる損害賠償請求裁判をやる構えを見せて、そのとき動労が転向しますよね。松崎明[4]のコペルニクス的転回、コペ転と言われている。そこで葛西は動労に対しての分だけ裁判を取り下げる。葛西というのはエリート集団のなかでそういうエグい攻撃をやってきた。普通は、そこまで悪どいことはやらないのがエリート集団だけれども。

森　そうですね。普通の国鉄キャリアというか、キャリア官僚はね。

佐高　エリートの中でも、葛西は言ってみれば肉食獣だよね。大体は草食系なんだけれども、葛西は珍しく臆面もなく肉食獣だな、と。

ただ、国鉄分割民営化路線は、最初は主流じゃなかったわけだから、そのプロセスでは葛西は冷や飯を食わされてもいますよね。それを力ずくでひっくり返していく。

当時の葛西がやったことは、言ってみれば、田中角栄[*5]への挑戦ですよね。国鉄というのは田中の天領みたいなものだったから。田中は日本列島改造と鉄道建設を強力にリンクさせていた。それ以前は国鉄は、戦後、鉄道総局長から身を起こした佐藤栄作の天領だったわけだけども、国鉄をめぐるそういう体制に対する反対派の中心に、葛西がいたんだなという、そういうことだと思いますね。

森　そうですね。そのエネルギーだけは凄まじい。

国鉄分割は瀬島龍三の発想

佐高　国鉄分割民営化に対する、当時の私たちの反対の論理というのは、分割民営化とは会社化であるという認識が基本でした。

八〇年代までは「三公社五現業」という言葉がありましたよね。三公社とは、国鉄、専売公社、日本電信電話公社のことで、五現業とは、郵政省の郵政事業、大蔵省の造幣局と印刷局による造幣事業と印刷事業、農水省の林野庁による国有林野事業、それと通産省によるアルコール専売事業を指した。つまり分割民営化とは、国鉄を三公社五現業という公的なものから会社にするということです。それに対して、内橋克人さんや私は力を尽くして反対したんです。

日本の会社の実態を嫌というほど見ている者からみると、会社にすれば良くなるというのは当たらないという現実認識と、国鉄という国民の財産である「公」の存在を切り売りすることへの危機感です。そこにたかってうまい汁を吸おうとするやつらは許せないという思いがあった。

それともう一つは、国労つぶし、そして社会党つぶしという明らかな権力側の意図です。これは中曽根康弘[*6]がはっきり明言しているわけですね。

「国労は総評の中心であるから、これは崩壊させなくてはならない。首相になって国鉄の分割民営化を真剣にやった。みなさんの協力で成し遂げられた。最も反対していた国労は崩壊した。そうして総評が崩壊し、社会党が崩壊した。それは当初から意図してやったのだ」

安倍以降の保守政治家の異様な劣化のなかで、リベラル側までが、かつての中曽根はいまの首相とは次元が違う国家観、世界観を持っていたという話をしがちで、事実それは当たっている部分もあるんだけれど、私なんかは、中曽根こそが「公」を破壊して、いまの新自由主義全盛の時代への道筋をつけた張本人だと思っています。そこを批判し続ける必要があると思う。

公のものを平気で私物化する。つまり葛西は公ということを考えていないと思うんですよ。というか理解できない。ものみな会社化へという潮流のなかで、何か水を得た魚のように、多方面に動き回り、力を伸ばしていく。

私が国鉄分割民営化への反対運動をしていたころ、葛西のことはさほど意識していなかったけれども、その後、中核はこいつだったんだな、と気づくわけです。

森　いまにして思えば、というところがありますよね。その後の成り行きを見ていると、当時一番若手だった葛西が中心になっていった。そのあたりの経緯は、僕も佐高さんと同じように見ています。

佐高　松田も井手も、葛西ほどきめ細かく、また強引にはやれなかったというところがあるでしょう。

森　この間、井手に会って、そういう話もいろいろとしました。もともと分割民営化は誰の発想だったのか、ということを訊いたんですね。そうしたら、あれは我々三人組とか言われるけれども、国鉄側はそこには一切タッチしていないのだ、と答えるんです。

やれと言われたことを官僚としてどういうやり方があるかを模索したのであって、要するに「分割」と「民営化」と二つの話があって、当初は民営化論が先行して、その後解体というか、分割に近い話になっていく。

最終的に分割になるというのは、それはやはり国労つぶしの意図が大きかったんでしょう。当時、国労の組合員は二〇万人ぐらいいたんですね。井手の話を聞いていると、国労は全国組織なので、それを解体しなくてはいけないという大命題が、どこからか降って湧いたように出てきたという印象です。

一九八五年に、三人組の中で井手が中心となって、最後の国鉄再建計画というのをまとめるんですよ。その内容はまだ分割にまでは踏み込んでいなくて、それに対して最初に「分割論も研究すべきじゃないか」と言い出したのは、一番若手の葛西だったということのようです。だから、国鉄側で分割論に与して、それを主導していたのはやはり葛西なのかなという気がしているんですね。

佐高　電電公社は民営化されてＮＴＴになるわけだけど、分割じゃないですよね。あそこには全電通委員長の山岸章[*7]という物分かりのいい人がいて、「民営化賛成、分割反対」だったからですよね。だから、NTTの全電通との対比で言うと、国鉄のほうはあくまでも国労の力をそぐという狙いが先行した。

その過程ではまず民営化しておいて、しばらく様子を見ようじゃないかという方向性もあったわけですね。

森 そういうことだと思います。

佐高 そういうなかで、葛西が分割民営化へと突っ込んでいったという印象ですよね。

森 これは井手の話ではないんですけど、別の当時の国鉄幹部に訊いたら、実際たしかにそのとおりで、しかもそれは瀬島龍三[*8]の発想だと言うんですよ。要するに、分割論は葛西と瀬島が組んで進めたのであり、瀬島の入れ知恵だと。

「分割して国労をつぶせ」。それは実際に、中曽根が後に言ったとおりになったわけですが、分割によって労働運動を解体するというのは、なるほど瀬島という作戦参謀らしい発想だという気がしますね。そこに葛西が乗っかる形で進められたのが国鉄分割民営化だ、と。この話は分割民営派ではなく国体護持派だった人の話だから、若干割り引かなければいけないかもしれないけれど、それにしても、なるほどと頷けるものがありました。

松田は亡くなったけど、井手に言わせると、「自分たちの発案じゃない」ということだったから、そこは整合性があるのかなと思います。

経産省の次官人事に介入

佐高　佐藤栄作は角栄の親分だったわけだけど、角栄には国鉄を触らせまいと、警戒してもいた。しかし角栄は、運輸大臣だった橋本登美三郎とかを抱きかかえる形で国鉄利権を手中にしていく。

　国鉄分割民営化を派閥的に見れば、国鉄という領域に、田中派と福田派、それに新参の中曽根派、これらが入り乱れて展開していく。福田派は、分割民営化反対の加藤六月*9と三塚博に分かれる。三塚は途中から転向して分割民営化のほうに行った。

　興味深いのは、「赤プリ会」という、赤坂プリンスホテルで行われる国鉄族の集まりがあった。赤プリには福田派の事務所があったから、その会は福田系なわけですよ。そこに唯一と言っていいと思うけど中曽根派から参加していたのが小此木彦三郎です。

　時代は飛びますが、葛西が経産省の次官人事で菅義偉をたしなめる場面があったらしいんですよ。菅はかつて小此木の秘書を務めていたわけだから、何らかのつながりを感じてしまうわけです。

　菅が嶋田隆を嫌って、同期の日下部聡を経産次官にしようとする。そのときに経産省が困って葛西のところに「菅を押さえてくれ」と頼みに行く。それを私が聞きつけて、古賀茂明さんにぶつけたら、古賀さんがいろいろ解説してくれたわけです。

そのときに菅と葛西はつながっているのかなと思ったんだけども、小此木を間に入れると、昔から近かったんだろうなという想像が働く。

森 いや、たしかに菅と葛西に縁はありますが、事の経緯はそうではないと思いますよ。

小此木の秘書だった菅がまず接近したのは、葛西ではなくて住田正二なんです。住田が国鉄再建管理委員だった時代だと思います。『噂の眞相』に書かれたんですけど、小此木事務所に女帝的な秘書がいて、彼女は小此木の愛人でもあった。ところがその関係が奥さんにバレて、結局、住田とつき合うようになった。

というか事務所の当時のベテラン秘書に訊くと、奥さんにバレてしまったので、あの秘書は住田の担当なんだということにした。実際、住田は彼女をものすごくかわいがって、「彼女が淹れたお茶じゃないと飲まない」と言うぐらいの関係になった。ここから先は『噂の眞相』的な話なんですけど、当時フグ料理屋を出させてやったりしているという話もあったんです。

その秘書と菅が仲が良くて、その伝手(つて)で菅が小此木事務所の住田担当になるわけです。そこから菅は当時の国鉄に食い込んでいく。また私鉄にも食い込んでいく。

住田、松田という順番でJR東日本社長になり、菅はそっち側に寄っていったので、松田・葛西戦争があったときには松田側についたらしい。だから菅は、しばらくは葛西とは距離があったと思います。

ところが、安倍政権になってから菅は葛西に接近していくわけですね。それには杉田が間に入ったりしているんですけど。

佐高　官房副長官だった警察官僚の杉田和博[*10]が？

森　そうです。だから、菅―杉田―葛西みたいな形で、第二次安倍政権の、二〇一四年ぐらいから、菅と葛西の関係ができていく。しかも、当時は松田が体調を崩して入院していたこともあって、JR東日本とJR東海が引っついていくんです。その間隙(かんげき)を縫って、菅もそこに入り込んでいくという構図が生まれた。

佐高　つまり一時は松田側について葛西とは距離があった菅が、安倍政権下で葛西と近くなったところで、さっきの人事の話は出てくるということですね。

森　そういうことだと思います。

佐高　そのころは、菅としては葛西に出てこられれば、ある程度言うことは聞かざるを得ないという関係にはあるわけね。

森　それは間違いなくそうですね。やはり葛西は安倍を支持する財界人の集まりである「四季の会」の世話人で、要するに安倍政権の最大のスポンサーで後援者なので、まさしくフィクサーですよね。だから菅としても、葛西の言うことは聞かなきゃいけないということだったと思います。

陰謀をめぐらす策略家

佐高　葛西は一九四〇年生まれだから、西部邁とか加藤紘一なんかと同世代ですね。当時の東大生だと安保闘争が目の前にあって、その後、保守派になるような連中も、一応学生運動に少しは走るものだけど、葛西にはその気配がまったくない。

森　聞いたことないですね。

佐高　だから、そのころから社会派的な資質はない人だよね。

森　もともとああいう右翼的というか体制的な思想なんですかね。生まれは兵庫県で、お父さんが公立高校の国語と漢文の先生ですよね。だから古典と漢文の素養があるらしくて、『古事記』とか『日本書紀』とか『万葉集』とか、俳句や短歌なんかについての読書や研究をずっとやってきているという話はありました。ただ、社会派の傾向はたぶんなかったと思います。

佐高　森さんは葛西には会っているの？

森　会ったことはないです。

佐高　菅とか瀬島とか、そういう裏で動き回るタイプなのかなと思うけど、妙に暗い印象があるよね。

森　陰謀史観というか、非常に公安的な発想をする人ですよね。これまで葛西がやってきた情報戦もそうだし、そもそも国鉄改革三人組そのものにそういう性格があります。

国鉄改革のときにもいろいろ仕掛けていったり、また警察、特に警備公安と組んで最初は国労、次に動労を狙えという方針でやったり、葛西自身もスキャンダルなど狙われたこともあって、非常に暗いし、警備公安的な発想で陰謀論が好き。陰謀をめぐらす策略家なんですよね。非常に頭がいい人間だとは思いますけど、それだけに相手に対しては執拗に疑ってかかる。

佐高　ただ、私は松田にも井手にも会ったことがあるけど、三人組といってもあとの二人はそんなに暗くはない。

森　そうですね。僕は松田には会ったことがないんですけど、井手にはこの間お会いして、全然暗くないですね。葛西とはまったくにおいが違う。

佐高　そう、においが違って、葛西だけがやはり瀬島好みというか。

まったく余計な話だけど、瀬島と第一銀行から追われて日本ゼオンの社長になった島村道康という人の叙勲祝賀会みたいなのに呼ばれて出たことがある。高杉良[*11]さんが島村道康の小説を書いたんですよ。それで、ごく内輪の集まりに私も招待されて、そうしたらそこには瀬島がいた。

一応、フィクサーとしての瀬島には興味があるから、何か私の本をあげた。でも、それをどこかの古本屋に流されたんです。そういう本には「献呈　佐高信」とか書くじゃない。普通、古本屋に流すときにはサイン入りのものは出さないか、そこを破いたりする。ところが瀬島はサイン入りのまま流して、私の読者がそれを手紙で知らせてよこした。「瀬島の野郎」と思ったことがありました。

森　瀬島という人間を表しているかもしれません。不思議な男ですね。あるいは意図的にそうするほど、佐高さんが嫌いだったとか（笑）。

佐高　まあ、その可能性はあるね。嫌われたか、佐高などは利用価値はない、と判断されたか、かもしれない。

日本の会社は憲法の番外地

佐高　森さんは、「四季の会」の富士フイルム会長の古森重隆（こもりしげたか）[*12]は会ったことある？

森　古森もないです。

佐高　「四季の会」は、代表は葛西で、古森が副代表みたいなものでしょう。

森　葛西と与謝野馨が東大の同級生で、もともと「四季の会」は、与謝野馨を総理にする会だったんです。それで立ち上がったんだけど、まもなく与謝野は体調がすぐれなくなり、初期のころに若手の安倍晋三を盛り立ててやってくれと連れてきたらしいんです。

だから、発足当時のあの会のメインの部分は、古森じゃなくて、葛西の西高―東大の同級生だった下垣内洋一[*13]という、日本鋼管（現ＪＦＥスチール）の会長を務めた財界人が、葛西とともに担った。下垣内は、日本鋼管を川崎製鉄と合併させたりもしている。それで、下垣内も亡くなり、ＮＨＫの前田晃伸[*14]なんかが入ってくる。

佐高　与謝野もそんなに暗い印象はないよね。

森　暗くない。

佐高　葛西の暗い陰謀家体質がすごい害毒をもたらしてきたのは、ＮＨＫ支配ですよね。

そもそも経営者たちがＮＨＫを露骨に支配し始めたのは、一九八六年に磯田一郎がＮＨＫの経営委員長をやるころからでしょう。これはとんでもない話だった。

森　シマゲジこと島桂次[*15]が副会長や会長のときですよね。シマゲジ・磯田は最悪のコンビだった。

佐高　私は嫌というほど会社を見てきたから、日本の会社は憲法の番外地だと思っている。経営者は、批判の自由なんて、そんなもの考えていない。

経営者がNHKを支配した場合、籾井勝人(もみいかつと)[*16]のような問題は当然出てくるわけですよ。つまり、籾井は「政府が『右』と言っているのに我々が『左』と言うわけにはいかない」と発言し、特定秘密保護法もさしたる問題ではないと言い、従軍慰安婦はどこの国にもある話だとうそぶいた。あのひどさは、経営者支配である限り、誰が会長になっても共通する、ある意味で当たり前の認識であり、そこにはそれを言うか言わないかの違いしかないわけです。

森 正直とも言えるわけですよね、籾井は。

佐高 そういうことです。葛西がNHKを支配するようになるのは、やはり安倍時代になってからですか。

森 第一次政権のときからですよね。そこでは「四季の会」が機能しているわけです。要するに、安倍と葛西は、メディア支配ということに対して思いが同じなんですよね。葛西としては、それは国鉄改革のときに嫌というほど経験しているからじゃないですかね。

自分たちが国労つぶしのために問題化して告発した、ブルートレインのヤミ手当てとかヤミ休暇とかについても、国労の悪さを印象づける話としてメディアに流して、メディアに飛びつかせて報道させたという成功体験があるので、やはりメディアを支配することがこの国を動かすことにつながるという策略家としての手ごたえがあるんだと思います。

佐高　安倍にしても、中川昭一と組んで、慰安婦問題の戦争責任を問うNHKの番組に介入して改変させたというのは重要な成功体験だったわけだから、そこが通じるわけだよね。

森　彼らはそれを権力者として正しいあり方と思うのでしょう。そういった成功体験があるがゆえに、NHKと朝日新聞を常に何とかしたいというのが共通の欲求なんじゃないですかね。

佐高　なるほど、NHKと朝日ね。

森　朝日はどうにもならない部分もあるけれど、NHKは経営委員に自分の手下のような経営者を送り込むことによって、経営委員が会長を選ぶわけだけから、会長まで自分の思い通りになる。そこに気づいた。それは、菅が『政治家の覚悟』という自分の本で図らずも言っていますよね。

佐高　ちょっと忘れられかかっているけど、百田尚樹までがNHKの経営委員だったことを覚えておかなければならない。

森　驚くような事態ですよね。

佐高　それから、日本会議代表委員の長谷川三千子とかも入っていた。トンデモ委員なわけです。安倍は朝日に対しても、慰安婦報道の否定的総括をやらせたわけだから、一定の達成感は持ってると思います。

森　たしかにそうですね。メディア支配を重要視する二人が結びついた。いつからか、葛西のお墨付きがないとNHK経営委員になれないという流れになっていきましたよね。反旗を翻したのは、たとえば経営委員長をやった全日空の浜田健一郎とか、後に会長になった三菱商事の上田良一とか。あのへんの人たちは一応抗ったんだけれど、結局は抵抗し切れなかった。ついこの前二〇二三年一月まで、みずほ出身の前田晃伸を経て、いまは元日銀理事の稲葉延雄が会長になった流れまではまさにそうです。

佐高　葛西直属のJR東海の松本正之[*17]も、最初のうちはちょっとそこまで露骨な人事は、という感じだったんでしょう。

森　そうです。葛西は何とか松本をNHKに送り込みたかったわけです。あれは民主党政権時代です。読売新聞出身の経営委員に電話して、要するに自分の腹心である松本をNHKに送り込んだ。

佐高　あのへんがえげつないと思うんだけど、当時、JR東海の会長が葛西で、松本は副会長ですね。

森　そうです。

佐高　副と名のつく者を送り込むというのは、普通はあり得ない。自分が退いて彼を会長にしてから送り込むとか、最低限そういう手続きが必要なはずです。NHKの経営トップは、俺のところの副でいいんだという、あれはびっくりする感覚ですよね。

森　どう考えても、NHK会長のほうがJR東海会長より上だと思うけれど。

佐高　ところが葛西のなかでは自分のほうが上なわけです。あのとき、松本はちょっと抵抗するわけでしょう。

森　そうなんです。だから、NHKの局内ではいまでも松本は評判いいんですよ。公共放送のあり方をそれなりにきちんと勉強していたし、単純に言うと、葛西の言うことを聞かなかったということです。

籾井と違って、松本と、アサヒビールから行った福地茂雄[*18]の二人は、いまでもNHK局内での評価が悪くない。ここ五代ぐらい民間から来た会長が続いているんですけど、局内でこの二人だけは公共放送のことを理解して、我々の言うことも聞いてくれたし、良かったなという感じで思われている。逆に、それは葛西にとっては良くない会長ということになるわけです。

佐高　そう。一期で引きずり下ろしちゃった。

森　NHKの会長は、ここ五代続けてずっと一期しかやっていないんです。三年ずつで交代するから、NHK改革とか言っても実際には何もできない。結局それぞれ中途半端で終わって、何をやっているのかという感じになっている。

メディア支配を志向する政治

佐高　メディア支配に関わることで、二つ重要なことを言っておきます。

内橋さんや私なんかが国労に味方していろいろ運動をやったり、取材したり書いたりしているると見えてくるのは、分割民営化推進のほうも、その宣伝アピールを電通に頼んでいるということ。実は国労も電通に頼んでいて、それで分かったんだけど、払う金が全然違うわけ。これじゃ敵うわけないだろうって思った。

森　やはり電通ってすごいんですね。

佐高　賛成派と反対派両方の宣伝をやっているわけです。だから、内橋さんと怒ったんだよ。「賛成派のお前らは違うとこに頼め」と。賛成派と反対派と、金の額が絶対的に違うわけでしょう。

あのときは両方、電通だったわけだけど、いまから考えると、自民党の選挙を電通が演出して、立憲を博報堂がやるという代理店政治のミニチュアみたいな感じもあった。作家の辺見庸が政治はもはやメディアに侵蝕された恥辱でしかないと言ってるけど、そういう時代の先駆けだったような気もする。つまり、メディア支配を志向する政治は、同時に、メディアに食い散らかされてもいるということ。

それともう一つは、国労が官僚化しているのね。どこかの雑誌で、山崎俊一という最後の国労委員長と、内橋さんと私と三人で鼎談をやったんだけど、もうケツに火が付いているのに、どこか呑気なんだ。まだ大丈夫だみたいな話をする。

終わった後、内橋さんと帰りにあいつら何やってるんだと、ガックリした。だから山崎と葛西を比べると、覚悟だけですでに勝負あったという感じがする。

森　そういう意味では、葛西は大したもんと言えば大したもんですね。

佐高　凄まじい覚悟と緊張感をもって民営化を推進していたことは確かです。

メディア戦略のパイオニア

佐高　葛西のＮＨＫ支配ということで言うと、専務理事の板野裕爾（ゆうじ）[*19]の再任問題も出てくるでしょう。

森　あれも葛西人事と言われていますよね。葛西、杉田、菅が関わっている。

佐高　板野って、おやじのＫＤＤ社長だった板野学から私は内容証明郵便を送りつけられたことがある。

ＫＤＤの汚職事件で自殺者が出た。それを、私が朝日に「新・会社考」を連載していたときに、「部下は自殺してお前はのうのうと生きているのか」みたいなことを書いたわけです。そうしたら、内容証明郵便を寄こした。すると今度は息子が、葛西配下で登場して、このやろうと思ってね。

森　板野裕爾の有名なエピソードとしては、まだNHKに入ったばかりのころ、岡山放送局に配属されていたんですが、KDDの汚職事件のときにわざわざ東京まで駆けつけてきて、おやじをガードして、取材陣の前に立ちはだかって、取材はまかりならんと言って水を撒いたとか。それでNHK局内で評判がさんざんになったと言われていました。

とにかく評判が悪い。経済部長をやって、そのころJFEホールディングスの數士(すど)文夫[*20]とか葛西と知り合って、今の地位を築いていくんですね。

さっき話した下垣内の部下が數士で、數士はNHKの経営委員長になる。葛西と並んで、數士はもちろん「四季の会」の主要メンバーです。その數士に猟官運動した板野は経営委員長の事務局長として引き上げてもらい、そこから経営委員に根回しする立場になって、理事、そして専務理事になる。

佐高　そして數士は東電の会長になるわけですよね。

森　そうです。一時はNHKの経営委員長と東電の会長を兼務するという話になっていて、しかし、それは駄目だろうということになり、経営委員長を辞めさせられたんです。そのとき板野が事務局長だった。

佐高　その後、板野は専務理事になるんだけど、前田晃伸も骨がないよね。専務理事の板野を一回クビにしようとして、ところがまたねじ込まれて、やはり板野が専務理事になる。

森　二〇一六年、板野はいったん籾井に切られたわけですよ。専務理事をクビになって、NHKエンタープライズの社長になる。本来そこは上がりポストなんだけど、返り咲きを狙って葛西に猟官運動をして、だから杉田・葛西人事と言われたんですが、二〇一九年、専務理事に返り咲く。ひょっとすると会長就任もあるんじゃないかと言われて、でもそれはあまりにひどいだろうということで、さすがに前田が板野を退任させようとした。

ところが、それがまたひっくり返る。板野は官邸に泣きついて、官邸から言われてNHK人事が差し替えられてしまう。ここのところ毎回そういうことの繰り返しですね。

佐高　経営委員長にしても、真っ当な人はならない。だって、前田なんて、二〇〇二年に日本興業、富士、第一勧業の三行が統合してみずほが発足し社長に就任したとき、いきなり大規模なコンピューターのシステム障害を起こしているんですよ。しかも「利用者に実害が出たわけではない」なんて発言までしていた。

普通はあそこで辞めるよ。私は早く辞めろと何度も書いたけど、そういう骨なし男が葛西の傀儡（かいらい）なわけでしょう。

森　前田は「四季の会」のメンバーでもあり、葛西の後の国家公安委員になるわけですよ。

葛西にとっては、やはり可愛いんだと思います。考え方も近いんじゃないかな。前田は、ちょっと変わった人物だと聞きますが、葛西とは波長が合うんでしょう。

佐高 前田は私と同じぐらい。だから年は葛西のほうが上だよね。

森 前田が七六歳のとき、葛西は八一歳ですから。

佐高 こんなひどい経営者たちばかりが送り込まれるようになっているというのに、地方に行くとＮＨＫに対する幻想というのがやはりまだ根深くあるなと感じます。

森 そうですね。のど自慢やローカルニュースがあるし、やはり報道はＮＨＫが一番不偏不党だ、と。

佐高 ＮＨＫで言っていたとか、やっていたとか、それがお墨付きになるという感覚。私なんかからするとＮＨＫが一番怪しいんじゃないかと思うんだけど、民放だと信用性に欠けるという見方になるわけです。

森 たしかに、地方ではＮＨＫと朝日新聞がいまだに信頼されている。まあ、朝日は少し落ち目かもしれないけれど。

佐高 朝日は読売に御株を奪われているかもしれないけれど、ただ、多少は権力批判の構えは残しているから、その朝日とＮＨＫを押さえるべきだという発想と戦略は、確かだと思う。

森 メディア対応ということでは、権力側のほうがはるかに先を行っていますよね。

佐高　葛西はそのパイオニアの一人であることは間違いない。褒めちゃ仕方ないけれど。

葛西のリニア計画は東芝救済策

佐高　冒頭で触れた件ですけれど、『ZAITEN』二〇一七年四月号が「葛西敬之の研究」という特集をやっていて面白かったんですが、一七年二月一〇日にホワイトハウスで行われた日米首脳会談のニュースを見て、葛西がほくそ笑む。

安倍はトランプを相手に、首相補佐官の今井尚哉を使って、高速鉄道プロジェクトを売り込んでくれた、と。安倍はトランプに、「日本は新幹線やリニア技術などの高い技術力で大統領の成長戦略に貢献できると思います。アメリカに新しい雇用を生み出すことができます」とまで言ったらしい。これに葛西は喜んだ。高速鉄道プロジェクトというのは桁違いの途轍もない話でしょう。

森　まさに葛西が牽引(けんいん)してきた、リニア計画ですよね。

佐高　ところがこれを、JR東海社長だった山田佳臣が記者会見で「絶対ペイしない」と言ってしまった。それなのに、財投（財政投融資）の活用を決めた。二〇一六年一一月に、五〇〇〇億円が固定金利〇・六％、三〇年返済据え置きというタダ同然の条件で。これは森友や加計とレベルが違う話ですよね。

森　そうですね。財投は三兆円が投じられることに決まった。その一方、ワシントン—ボルチモア・リニア新幹線建設計画は、葛西がオバマにアプローチして進めた。

佐高　その仕上げが、安倍がトランプ相手に、ということか。

森　そうです。でも結局、この話はトランプになってからポシャったという話です。

佐高　ああ、そうですか。トランプも一つくらいはいいことをやったんですね。

森　そういうことになりますね（笑）。

佐高　しかし、葛西がめぐらす陰謀というのは、一般にはあまり知られていない。スケールで言うと、森友や加計より一〇〇倍ぐらいでかくて悪いんですが。

森　リニアのことにもう少し付け加えると、リニアは東芝の技術を使うんです。つまり、葛西は東芝を救済したいんです。リニア計画は東芝救済策でもある。

佐高　ああ、そういうことなんだ。

森　でも、アメリカの計画が吹っ飛んじゃった。今井が出てくるのは、今井と、やはり経産官僚の柳瀬唯夫の二人はずっと東芝救済に奔走していたので、それでじゃないかと。

佐高　柳瀬は時代錯誤にも「原子力立国論」をぶち上げたりもしていましたよね。原発とリニア、いずれも東芝ですね。

森　JR内部の関係者に訊くと、リニアはもともと日立だったらしいんですが、いまは東芝らしいんです。超電導リニアモーターカー技術と言って、車輛を一〇センチ浮かせるかなりすごい技術があるんでしょう。

佐高　その技術のことは知らなかったけれど、東芝の内実はかなり腐っていると思います。表面は明るいように見えるけど、実態は暗い会社なんだよね。

森　国策でガチガチに固められていますもんね。

東芝の「扇会」と「日立消防隊」

佐高　東芝社内には秘密組織の「扇会」というのがあって、最盛期は会員が一八〇〇人もいた。警察出身者なんかも使って、「問題者」という存在をあぶり出し、その人を尾行したりもする。

東芝府中工場で職場八分裁判というのが起こって、上野仁という人は技能オリンピックなんかで表彰されるような人だったんだけど、物を言う人だったわけですよ。それで職場八分にされてしまう。挨拶もされなくなる。それで上野氏は会社を訴えるわけです。

私は、かつてその裁判を応援していた。その裁判の過程で、社内に秘密組織「扇会」があるということが明るみに出ちゃったわけです。

森　扇会には組合つぶしみたいな役割があるんですか。

佐高　そう。組合つぶしであり、社内ファッショ化のための組織ですね。「問題者」をどう発見するかという、扇会の文書があって、そこには、（一）職場で行動に空白の部分が多く、昼休みや終業後の行動が見当つかない者。（二）職場の同僚や若年者、新入社員の悩みごとや苦情に対する世話を積極的に行う者。（三）就業規則をよく知っていて、有給休暇の行使など権利意識が強い者。（四）お茶くみや掃除などサービス労働に抵抗し、奉仕的な美徳をやめる方向に力を入れる者。（五）特定日の残業をしない者――なんて書いてある。

森　労働者の権利を真っ当に理解している人にしか思えないけど、東芝にとっては、それが問題なわけですね。若い人の世話を積極的にするというのは？

佐高　つまり、その延長線上には組合活動があるという過剰警戒でしょうね。そういう存在を尾行するんだから異様な会社ですよ。尾行して本社人事勤労部に報告するわけです。だから、ものすごく陰湿です。

　東芝問題を語るとき、扇会のことには誰もどこも触れない。でも、それが一番の問題で、そこに触れなければ東芝問題の本質は分からないと私は言っている。

森　なるほど。警察のＯＢとかも入っていたんでしょうね。それで社員を取り締まるように「指導」しているんでしょうね。

佐高　そういうことを、東芝は絶対隠そうとしてきたわけだけど、裁判で暴露されてしまった。そんな社内体質を含めて、原発の問題でも何でも、東芝は隠したいんでしょう。でも、隠せば隠すほど腐敗は進み、極端に言えば、東芝なんて東芝という看板しかない。中は腐り切ってる。

森　佐高さんの分析は、面白いですね。

佐高　でも森さん、それは東芝だけじゃないと思う。そういう体質は日本の会社には多いんです。それを私は「カルト的企業」と言っているんです。

森　リニアを競って敗れた日立だって問題を抱えているだろうし。

佐高　「禊(みそぎ)の日立」と言って、やはり狂信的な体質があります。「日立消防隊」というのがあって、三つの赤字を消すと言うんです。一つは文字通りの赤字。それから「アカ」、つまり組合をはじめとする社内の労働運動だよね。左翼的兆候を消す。三つ目が実際の火事。そういう組織をおかしいと思わない人しか社長や重役になれないわけだ。

森　日立消防隊も、東芝の「扇会」みたいなものですね。

佐高　まさにそうです。

公を利権にしていく

佐高　古賀茂明さんから聞いた話で面白かったんだけど、歴史的に通産省はソニーを管轄しようとしてこなかったと言うんです。ソニーのことを、あれは言うことを聞かない会社だとはなから認識していた、と。いまはソニーも変わってしまって本当のパイオニア精神はなくなりかけているけれども、そういう異端的な会社が戦後日本を引っ張ってきた。ソニーとかホンダとかね。

森 たしかに異端とされた企業の創造力が戦後日本の技術を担ってきているんですよね。そうすると佐高さんは、国鉄などの公共企業の役割というのをどう考えていましたか?

佐高 JRにしてもそうだけど、公共企業が民営化されると、役所の悪いところと会社の悪いところが合わさったものになってしまうんです。葛西の一番の悪は、公と私の区別をなくしてしまったということですよ。

田原総一朗さんは、当初は国鉄分割民営化に反対していて、その時期に北海道の池田町の町長と会った。町長は「国鉄は赤字だと言うけれども、じゃあ消防署は赤字だと言うのか。警察は赤字だと言うか」と言った。その後、田原さんは立場を変えて、私と激しく論争するんですが、このときのインタビューはいまだに輝いていると思う。

つまり、国鉄を分割民営化したことによって過疎が進んだ。公の企業が実際に失くなり、人々の頭から公という観念が奪われた。この計り知れない喪失を、葛西は何も分かっていない。それどころか、葛西も瀬島も竹中平蔵[*21]もそうだけど、陰謀のフィクサーたちは、公を食い尽くしていくんです。

森　公を利権にしていくんですよね。ＪＲ北海道なんかは見るも無残ですものね。二〇一一年九月に社長の中島尚俊が、二〇一四年一月には元社長の坂本眞一が自殺している。

佐高　そうだったよね。あれは結局、民営化以降、脱線事故、列車火災、検査データの改竄、労組の迷走や対立が重なった、ＪＲ北海道という企業の歪みを象徴する事件だった。

森　二人の社長経験者が自殺するなんて、あり得ないほどひどい話ですよね。

佐高　公の利権化の果てに行き着いた、すさんだ状況です。

リニア計画は誰が得するのか

佐高　リニアの話に戻るけど、そもそもは誰の発想なんですか。

森　葛西が入社する前年の一九六二年に研究開発が開始されるんです。誰の発想かは特定はできないけれど、鉄道技術研究所でリニア研究が始まるわけです。

佐高　誰かが一生懸命に求めてきたということでもないわけでしょう。

森　民営化後ですけれど、やはり葛西が求めているんですよね。でも、いまではＪＲ東海のなかでもリニア推進派と反対派に割れているらしいです。ちょっと難しいんじゃないかという意見が強くなっている。

佐高　だから、極端なことを言うと、やりたいのは葛西一人だったんじゃないか。葛西の後の社長だって、できないだろうと言っちゃったわけでしょう。静岡県知事も公に反対している。そうすると、まさに公は求めていない開発、誰が求めているのか分からないような計画を、会社主導でやるという話になってくる。それも、会社全体というよりも、葛西主導でやるということだったわけですよね。

これは国鉄分割民営化と一緒ですよ。誰が国鉄分割民営化を求めたのか、分からないままに強引に進められてきたわけでしょう。

森　そう、まともな理由が立たないんですよね。

佐高　ひどい話なのが、リニアは地下に潜るから、地下から上がってくる時間を考えると、これまでと大して変わらないという。だから、誰が得するのかが分からない計画ということになる。

森　特に最近は分からなくなってしまいましたね。でも、もうすでに一兆円使っているらしいですから、引くに引けないというのが現状ではないでしょうか。

佐高　JR東海のなかにだって、葛西がいなくなればリニア計画自体どうなるか分からないと考えていた人がいるんじゃないか。

森　そう思います。ただ、そういうことをはっきりと言えない雰囲気があったみたいですね。だから、社内の問題への率直な意見を、外に対して真っ当に発言できない。

佐高　でも、すでに一兆円使っていたとしても、葛西がいなくなった場合、撤退したほうがいい、会社はこのまま突き進んだら大変なことになる、という意見は潜在的にしろ多かったと思います。陰謀家というのは、瀬島にしろ葛西にしろ、そういう潜在的な反対意見に耳を傾けようとするところがまったくなくて、とにかく決めたことをいろいろな手を使って強引に進めていくというのが常道ですよね。

森　そう、結果が惨憺たるものになろうとね。

国鉄の赤字を膨らませたのは政治家

佐高　葛西と一番近かった政治家というのは、かつては与謝野馨ということになるわけですか？

森　そうですね。最初は与謝野です。

佐高　その後は、中曽根康弘？

森　中曽根とは国鉄分割民営化を経て近づくわけですけど、それまでは会っていない。当時は三塚博です。やはり運輸族の政治家ということになります。

佐高　三塚は会ったことあるけど、嫌なやつでした。小悪党というか。幸福の科学が『三塚博総理大臣待望論』という本を出したことがある。私にとっては、幸福の科学あたりに担がれる政治家という認識なんですよ。

森　葛西は、三塚とは本当に近かったんじゃないですかね。分割民営化のときに同志的につながっていたと思います。

佐高　繰り返しになるけど、三塚も最初は分割民営化に賛成ではなく、途中から転向していく。

森　最初からと言ったら、中曽根だってどうか分からないですしね。

佐高　そう。やはり、反対派の田中角栄が倒れてしまったことが大きい。

森　そうですね、そこが大きな転換点ですよね。田中角栄がロッキード事件で有罪判決を受けた後に脳梗塞で倒れてから、一気に状況が変わってくるという感じでしたよね。中曽根もそこでころっと変わる。三塚も変わる。

佐高　三塚はたしか県議会議員出身ですよね。

森　そうです。宮城県ですね。

佐高　県議会議員のなかには利権に行く政治家がいる。

森　二階俊博もそうですもんね。

佐高　竹下とかね。

森　菅は市議会議員だけど。

佐高　似たようなもんですよ。

森　やはり地元に根付いた利権に絡んできた政治家が結構いる。

佐高　角栄が竹下のことを、「県議上がりは首相になれない」と言ったわけだけど、やはり利権、それもセコい利権のにおいと切れない人が多いんです。

森　特に運輸族はいまでもそうですよね。二階もそうだし、菅も運輸族ですから。

佐高　我田引鉄と言うけれど、国鉄の赤字を膨らませたのは政治家なんですよね。

森　政治家です、本当に。

インフラ輸出の仕切り役

佐高　葛西は、国鉄分割民営化を梃子（てこ）に政治に働きかけ、メディアを支配するようになるわけだけど、あとはどんなところに力を及ぼしていたのか。

森　官僚人事にも介入してきたんじゃないですかね。葛西の人間関係で言うと、一方で官僚を手厚く可愛がってきた。「四季の会」には呼ばないけれど、二、三人の私的な懇親会を常に官僚たちと開いていました。情報もそこから得るし、自分の息のかかった官僚をすごく大事にする。

それは運輸関連、国交省だけに限らず、外務省なんかもですよ。そして警察ですね。

佐高 官僚支配までとなると、やはり葛西はスケールが違う。たとえばオリックスの宮内義彦[*22]みたいな企業社会内のフィクサーもいるけど、国を動かすという感じではない。やはり葛西は国を動かしてきましたよね。

森 そうですね。それこそ新幹線を輸出するために政府に働きかけてきたわけですから。それはうまくいかなかったけれど、その後はインドで新幹線をやろうとしますよね。それもうまくいかなかったけど。葛西は、財界のなかでインフラ輸出の仕切りをやっていた。スケールが大きいんですよ。

佐高 葛西は安倍を使った。宮内なんかは安倍を使うまではいかない。安倍の力にすがるぐらいの程度でしょう。葛西は安倍を使ってしまう。もはや使用人的感覚だよね。

森 そもそも自分のほうが上だと思っていましたから。国鉄官僚は性質が悪いというか、インテリ意識、エリート意識がものすごく強くて、自分たちは運輸官僚より上だと思っている。国交省の次官なんかよりも全然上だ、と。

鉄道は、戦前の鉄道省からの流れで、自分たちが国の根幹をつくってきたという気持ちがあるから、自意識もやることも変に大きいですよね。

佐高 森さんが言った国鉄官僚と運輸官僚というのはたしかに微妙な関係で、分割民営化のときも運輸官僚からしてみれば、自分たちより偉そうにしているやつらを何とかしてやろうという、そういう怨念が渦巻くわけですよね。一方、国鉄官僚にしてみれば、格下のお前らが何を画策するのかという話になる。

森　そう、格下だと思っているんです。いまの国交省の官僚に訊いても、葛西さんというのはすごい、と。子ども扱いされる。呼びつけられると、はいと言って行かなきゃいけないと思わせる、何か威厳もあったんでしょうけれど。

経済界もそうです。「四季の会」ができる前提には上下関係がある。つまり、JR東海は上場して、取引額がばかでかいから、金融機関も葛西に日参しなければいけない。JR東日本もJR東海も双璧で、銀行なんかを従えるわけです。だからみずほの前田も「四季の会」に入らざるを得ない。野村證券も入らざるを得ない。そういう形で鉄道のパワーというのはいまだに凄まじいんですよね。

佐高　昔の官営八幡製鐵、いまの日鐵。あそこに出入りする商社というか問屋は、指定制だった。だから日鐵から見ると、商社を食わせてやっているという感覚だったわけです。八幡製鐵以来、日鐵には商人控え所というのがあって、たとえば安宅(あたか)産業なんかの社員がそこに行くわけです。

私は、稲山嘉寛の秘書だった日鐵の副社長、飯村嘉治さんに可愛がられたんだけど、あのバランス感覚のある人でさえ、商社なんか我々が食わせているという感覚だったからね。

森 商人控え所というのは本社の中にそういう場所が？

佐高 そうです。

森 お抱え運転手みたいですね。

佐高 だから、国鉄にとっての銀行なんかも、そんな感じだったと思う。俺たちがいなきゃお前ら食っていけないだろうって。

森 そうなんですね。国策会社というのは強かったんですね。

佐高 眠り口銭（こうせん）みたいなものでしょう。黙っていても、指定を受けただけで金が入ってくるわけです。だから日商岩井とか安宅産業が最後まで残るのも、それがあったからだった。

森 商人控え所には、商社の指定席みたいなのがあったんですかね。

佐高 調べてみたら面白そうですね。日鐵には、六つぐらいの指定商社があったらしい。それは簡単に変えられないから、合併して権利を獲得する。日商岩井となったら岩井産業の利権がそのまま残るわけです。三井物産とか、三菱商事なんかもあるんだろうけれど、日鐵側は、鼻であしらっていた。

森 そういう企業文化が脈々と続いてきたんですね。

政商としてのスケール

佐高　だから葛西の意識は、会社のトップの経団連会長なんてものじゃなかった。

森　なるほど、そこには国鉄の特権性という歴史も関わっていたわけですね。しかも、民営化という国鉄改革を成し遂げたとなると、葛西の自意識たるや。のちに三人組で経営者として第一線で生き残ったのは葛西ですものね。

佐高　すごい批判も浴び、左遷も経験し、スキャンダルにも見舞われた。それが戦争体験みたいに葛西を強くしてしまった。

森　ＪＲ九州の石原進[*23]なんかも一応改革何人衆かの一人なんですが、葛西は石原をＮＨＫの委員に据えて委員長にまでして、コントロールしていくわけです。結局、葛西の部下にすぎない。国鉄改革のときの関係性にいまだに規定されているんです。あのときの経験がいまの日本全体を動かしている機運になっている。

佐高　やはり葛西は政商という概念ではとらえ切れないですね。

森　そう思います。あえて言えば、やたらとスケールの大きい政商。政商と言ってもスケールにいろいろあると思うんです。

たとえば僕が『週刊現代』で書いた、ぐるなびの創業者である滝久雄という菅のスポンサーがいます。あれも政商と言えば政商です。父親が国鉄に食い込んで、戦前の鉄道院時代の五島慶太[*24]に可愛がられ、そこから東急と仲良くなって、JRとも懇意になっていく。その息子は、東急エージェンシーの前野徹[*25]と組んで広告代理店として大きくなっていき、それがぐるなびになる。ちまちました政商ですが、それでも滝は、東海道新幹線に看板を出すために、葛西に取り入って商売したと言っていました。そうしないとできないわけです。まさしく出入り業者ですよね。

佐高　滝なんかは取り入るだけの存在だよね。だから葛西は、政商と言ったらばかにするなと怒ると思うよ。葛西は自分を商人だとは思っていない。あえて商人と言うなら、やはり国商ぐらいだろう。だって、首相より上だと思っているわけだから。

森　与謝野を首相にと、首相をつくる側ですから。それこそ児玉誉士夫みたいなスケールがありますよ。

佐高　人事の話でも、かつては児玉に頼み込む構造というのがあったわけでしょう。いまは、葛西に頼み込む構造があるわけですよ。菅を押さえてくれと、葛西のところに頼みに行く。そして、そういう構造自体がさらに葛西を大きくしていく。やはり葛西は、国家を相手にして成り上がってきたフィクサーですね。

＊1　葛西敬之（一九四〇～二〇二二）　一九六三年、東京大学法学部卒業後、国鉄（日本国有鉄道）入社。八六年職員局次長。八七年、JR東海発足とともに取締役総合企画本部長に就任。常務取締役などを経て、九五年同社社長、二〇〇四年に会長、一四年に名誉会長に就任。〇六年から一一年まで国家公安委員を務めた。

＊2　井手正敬（一九三五～）　一九五九年、東京大学経済学部卒業後、国鉄入社。八七年、JR西日本代表取締役副社長、九二年社長、九七年に会長就任。二〇〇三年に相談役に就任。〇五年に起き、一〇七名が死亡したJR福知山線脱線事故の責任を取って相談役を辞任。

＊3　松田昌士（一九三六～二〇二〇）　一九六一年、北海道大学大学院法学研究科修了後、国鉄入社。JR東日本では九三年に社長、二〇〇〇年に会長就任。〇二年に政府の道路関係四公団民営化推進委員会委員に就いたが、他の委員と対立して辞任。〇五年に起きた羽越本線の脱線死亡事故の責任を取って会長を辞任。

＊4　松崎明（一九三六～二〇一〇）　一九五五年、川越工業高校を卒業後、国鉄に入社。六一年、動労青年部を結成して初代部長となり、ストを辞さない過激な闘争手法で国鉄当局と対立。その後組合活動を理由に解雇されたが動労に残る。七五年のスト権奪還闘争では国労と一体となって、全国の列車を八日間にわたって止めるなど、「鬼の動労」の象徴的存在だった。国鉄の分割民営化には当初反対したが、その後に方向転換し国労を切り捨て、当局寄りの鉄労（鉄道労働組合）と手を組み、労使協調、民営化賛成にまわり、〝松崎のコペルニクス的転回（コペ転）〟と言われた。

＊5　田中角栄（一九一八～一九九三）　新潟県生まれ。高等小学校を卒業後、上京して働きながら中央工学校を卒業。一九四七年、民主党公認で衆議院議員に初当選して以来、八六年の総選挙ま

で連続一六回当選。四八年、炭鉱国家管理法に絡む疑獄に連座し、収賄容疑で逮捕（二審で無罪）。五七年、当時としては史上最年少の三九歳で岸内閣の郵政相。池田、佐藤両内閣で蔵相、通産相、自民党幹事長、同政調会長など要職を歴任。七二年七月、自民党総裁選で福田赳夫を破り、五四歳で首相（党総裁）に就任。「今太閤」「庶民宰相」などと評された。同年九月、日中国交正常化を果たす。七四年一〇月に自らの金脈問題が表面化し、金権政治の批判を浴び一二月に退陣。七六年七月にはロッキード事件で外為法違反容疑で東京地検に逮捕される。直後に自民党を離党するも最大派閥を率いて最高実力者として君臨。ロッキード事件は一審、二審とも懲役四年の実刑判決、死去したときは最高裁に上告中だった。

＊6　中曽根康弘（一九一八〜二〇一九）　群馬県生まれ。東京帝国大学法学部卒業後、内務省入省。海軍主計少佐、警視庁監察官などを経て、一九四七年衆議院議員に当選。科学技術庁長官、運輸大臣、防衛庁長官、通産大臣、行政管理庁長官などを歴任し、八二年内閣総理大臣に就任。「戦後政治の総決算」を掲げて国鉄、電電公社、専売公社の民営化を行い、当時のレーガン米大統領とは日米関係強化を進めた。二〇〇三年に政界引退。

＊7　山岸章（一九二九〜二〇一六）　富山県の郵便局勤務の後、労働運動に身を投じる。電電公社（現NTT）の労組委員長として公社の民営化に立ち会う。一九八九年に総評と同盟が合流して発足した連合の初代会長として組合員約八〇〇万人の先頭に立った。また、九三年には自民党を離党した小沢一郎と連携し、細川連立政権の樹立の仕掛人とされた。

＊8　瀬島龍三（一九一一〜二〇〇七）　富山県生まれ。陸軍士官学校、陸軍大学校を首席で卒業し、一九三九年に大本営参謀となる。その後、関東軍参謀を歴任。敗戦後、ソ連抑留。五六年に帰国

し、五八年伊藤忠商事に入社。安宅産業との合併責任者を務めるなど、伊藤忠を繊維商社から総合商社に脱皮させるのに尽力した。副社長、副会長、会長を経て八一年に相談役。八七年から二〇〇〇年まで特別顧問。また、八一年から八三年まで第二次臨時行政調査会（土光臨調）委員、八三年から八六年まで、第一次臨時行政改革推進審議会（第一次行革審）委員、八七年から九〇年まで、第二次行革審の会長代理を務める。

＊9　加藤六月（一九二六～二〇〇六）岡山県生まれ。一九六七年衆議院旧岡山二区から初当選し、当選一一回。中曽根内閣で国土庁長官、農水相、海部内閣で自民党政調会長などを歴任。羽田内閣でも農水相を務めた。ロッキード事件で「灰色高官」の一人として取り沙汰されたほか、リクルート事件でも秘書などの名義で未公開株が譲渡された。九三年七月の総選挙直後に自民党を離党し、その後新生、新進、自由、保守各党に所属。二〇〇〇年の衆院選に出馬せず政界引退。

＊10　杉田和博（一九四一～）埼玉県生まれ。一九六六年東京大学法学部卒業後、警察庁入庁。警備局長や内閣情報調査室長、内閣危機管理監などを歴任。第二次安倍政権が発足した二〇一二年に内閣官房副長官に起用され、菅内閣でも続投。二一年に退任。

＊11　高杉良（一九三九～）東京都生まれ。石油化学専門紙記者、編集長を経て、一九七五年『虚構の城』で作家デビュー。以来、経済界全般にわたって材を得て、綿密な取材に裏打ちされた問題作、話題作を次々に発表している。『小説 日本興業銀行』など著書多数。

＊12　古森重隆（一九三九～）一九六三年、東京大学経済学部卒業後、富士写真フイルム（現富士フイルム）入社。写真フィルムや印刷材料の営業畑を歩む。二〇〇〇年社長に就任。一二年社長を退き、会長兼最高経営責任者（CEO）に就任。二一年会長を退任、最高顧問に就任。〇七年

から〇八年までNHK経営委員長を務めた。

*13　下垣内洋一（一九三四〜二〇一七）　一九五八年、東京大学法学部卒業後、日本鋼管（現JFEスチール）入社。日本鋼管社長時代に川崎製鉄（同）との経営統合を主導し、二〇〇二年に発足したJFEホールディングス初代社長に就任。

*14　前田晃伸（一九四五〜）　一九六八年、東京大学法学部卒業後、富士銀行（現みずほ銀行）入行。九七年常務取締役。二〇〇二年みずほホールディングス社長。一一年から一六年まで国家公安委員。二〇年NHK第二三代会長に就任。

*15　島桂次（一九二七〜一九九六）　一九五二年、東北大学文学部卒業後、NHK入局。政治部記者を経て「ニュースセンター9時」「NHK特集」を看板番組に育てた。報道局長、副会長を歴任し、八九年一〇代目の会長に就任。効率経営や国際化、衛星・ハイビジョン重視を打ち出した。九一年、衆議院逓信委員会で虚偽の答弁をしたことが発覚し、任期途中で会長を辞任。

*16　籾井勝人（一九四三〜）　福岡県生まれ。一九六五年、九州大学経済学部卒業後、三井物産入社。九七年取締役。二〇〇〇年三井物産米州監督兼米国三井物産社長。その後、専務取締役、副社長を歴任。〇五年日本ユニシス代表取締役社長。一四年から一七年までNHK第二一代会長を務める。同在任中は数々の問題発言が物議を醸した。

*17　松本正之（一九四四〜）　三重県生まれ。一九六七年、名古屋大学法学部卒業後、国鉄入社。JR東海社長、副会長などを歴任。二〇一一年に第二〇代NHK会長に就任、一三年に退任。一四年にJR東海特別顧問に就任。

*18　福地茂雄（一九三四〜）　福岡県生まれ。一九五七年、長崎大学経済学部卒業後、アサヒビー

ル株式会社入社。営業部長、常務取締役大阪支社長、代表取締役社長兼ＣＯＯ、代表取締役会長兼ＣＥＯなどを歴任後、二〇〇八年より一一年一月まで相談役。

＊19　板野裕爾（一九五三〜）　東京都生まれ。一九七七年、早稲田大学商学部卒業後、ＮＨＫ入局。報道局取材センター部長、経営委員会事務局長などを経て二〇一二年理事、一四年からは専務理事を二年務めた後、「政権に近すぎる」として一六年にＮＨＫエンタープライズ社長に転出するも一九年にＮＨＫ専務理事に就任。この人事案に経営委員一二人のうち二人が資質に対する疑念などを理由に採決を棄権するという異例の事態となった。二一年専務理事に再任。

＊20　數土文夫（一九四一〜）　富山市生まれ。一九六四年、北海道大学工学部卒業後、川崎製鉄入社。二〇〇一年代表取締役社長に就任。ＪＦＥスチール設立を進め、〇三年初代代表取締役（ＣＥＯ）就任。〇五年ＪＦＥホールディングス代表取締役社長（ＣＥＯ）。一〇年相談役。一一年ＮＨＫ経営委員会委員長。一二年東京電力ホールディングス社外取締役、一四年から一七年同会長を務める。

＊21　竹中平蔵（一九五一〜）　一橋大学経済学部卒業後、一九七三年日本開発銀行入行、八一年に退職後、ハーバード大学客員准教授、慶應義塾大学総合政策学部教授などを務める。二〇〇一年、小泉内閣の経済財政政策担当大臣就任を皮切りに金融担当大臣、郵政民営化担当大臣、総務大臣などを歴任。〇四年参議院議員に当選。〇六年、参議院議員を辞職し政界を引退。ほか公益社団法人日本経済研究センター研究顧問、パソナグループ取締役会長、オリックス社外取締役、ＳＢＩホールディングス独立社外取締役などを兼職。

＊22　宮内義彦（一九三五〜）　兵庫県生まれ。関西学院大学卒業後、ワシントン大学にＭＢＡ（経

営管理修士）留学。一九六〇年、日綿實業（現双日）入社。六四年オリエント・リース（現オリックス）に出向。社長室長、取締役などを経て、八〇年代表取締役社長・グループCEOに就任。九一年、第三次行政改革推進審議会「豊かな暮らし部会」審議会メンバー。九六年、行革推進本部「規制緩和小委員会」座長就任。以降、総合規制改革会議、規制改革・民間開放推進会議など規制改革関連の政府委員トップを二〇〇六年まで務める。一四年、オリックス代表執行役会長・グループCEOを退任し、シニアチェアマンに就任。

＊23　石原進（一九四五〜）　東京都生まれ。一九六九年、東京大学法学部卒業、国鉄に入社。二〇〇二年にJR九州社長就任後、会長、相談役を歴任。一〇年からNHK経営委員に就任、一六年から経営委員長を務めるも、一八年にかんぽ生命保険の不正販売を報じたNHKの番組をめぐり、NHK会長を厳重注意していたことが一九年に問題視され、退任。

＊24　五島慶太（一八八二〜一九五九）　長野県生まれ。一九一一年、東京帝国大学卒業後、農商務省、鉄道院を経て、二〇年武蔵電気鉄道（後の東京横浜鉄道）常務に就任。四二年に小田急電鉄、京浜電気鉄道などを合併して東京急行電鉄に統合。東急コンツェルンを築く。四四年、東条内閣運輸通信相を務める。五一年公職追放解除とともに東急電鉄会長に復帰した。

＊25　前野徹（一九二六〜二〇〇七）　東京都生まれ。日本大学卒業後、読売新聞社などを経て、東急グループ総帥の五島昇に請われ、一九六〇年に東京急行電鉄の秘書課長として入社。五島氏の懐刀として政界、財界、マスコミなどの対外折衝で活躍する。七〇年に東急エージェンシー常務就任、専務、副社長を歴任し、八一年より一一年にわたり社長を務めた。

第3章　中曽根康弘と田中角栄の宿縁

中曽根康弘との出会い

佐高　森さんは、中曽根を取材したことはありますか？

森　会ったことはありますけど、本格的にインタビューしたことはないですね。

佐高　会ったことがあるというのは、会合か何かで？

森　そうです。そこで紹介されたという感じでした。

佐高さんは？

佐高　私はちょっとした中曽根体験が二回あって、それを話の切り口にしてみたい。二〇〇七年に、城山三郎[*1]のお別れの会というのが東京プリンスホテルで行われて、堤清二（辻井喬）と渡辺淳一[*2]と私が弔辞を読んだんですよ。ああいう人選は遺族と編集者がバランスを考えて決めるんでしょうね。会場には中曽根と、当時首相だった小泉純一郎[*3]が来ていた。城山さんには体制側にも多くの読者がいました。それは、体制側がいまよりまともだったということでもあるのかもしれないけれど、いずれにしても、いろんな人がいるお別れの会のなかに、中曽根、小泉もいた。

それで私は何となく張り切ったというか、城山さんはこっち側の表現者だということを強調したくなったんです。城山さんは反戦の思いをマグマのようにたたえた人で、城山さんを語るときに外せないポイントは、勲章拒否と護憲だと力を込めて言ったわけ。

会場にはテレビや新聞、メディア関係者が大勢来ていましたが、そのなかに、たぶん私が挑発的な挨拶をするだろうから、そのとき中曽根がどんな顔をするか、中曽根の表情を撮ろうとしていたテレビマンがいたらしい。実際に私も、城山さんの本質は勲章拒否と護憲だと、中曽根にぶつけるようにしゃべったわけです。当時の私のなかでは、小泉は付録でした。後から聞くと、中曽根は私の話に眉一つ動かさなかったという。それで、ちくしょうと思ったんだけど、それが一つ。

それからもう一つは、森さんにも出てもらった『俳句界』での対談。中曽根が俳句をつくるというので、『俳句界』のオーナーが「中曽根に出てほしい」と言う。私は最初やりたくないと言ったんだけど、たまには保守派との激突も、という話になって、それも面白いかなと思うようになったわけです。その話を「参院のドン」村上正邦[*4]にしたら、村上が「分かった、俺が紹介してやるよ」という。「じゃあ、お願いします」と頼むと、明治神宮記念館で中曽根が講演するときに紹介するから、そこに来いという。

行ったら、何か黒ずくめの人たちがいるんだよね。そっち関係です。私が入っていったら、あのころはテレビにもよく顔を出していたから、何であいつが来るんだと、変な視線が集まってきた。そうしたら村上が、「こちら佐高さん、この人左だけどいい人だよ」と言うんですよ。それで、そっち関係の人たちも苦笑するみたいな雰囲気のなかで、中曽根に紹介されたわけです。

『俳句界』での対談をお願いしますと言ったら、中曽根は「秘書に言っておく。秘書から返事させるから」と言う。で、結局は断ってきたんですよ。

森　断られたんですか。

佐高　そう。それで村上に、中曽根から断られましたよと伝えたら、「あ、そう。肝っ玉の小っちゃいやつだな」と言ったのね。

中曽根とは、その二つのニアミスというか、すれ違いがあったんです。

森　佐高さんと中曽根がいい形で出会えるはずはない（笑）。

知られざる存在、荒井三ノ進

森　荒井三ノ進[*5]という、中曽根の裏仕事をやっていた人がいますでしょう。

佐高　ある種のフィクサー的な。

森　そう。もともと彼のおやじが新潟出身で荒井建設という建設会社をやっていて、おやじは田中角栄の支援者だったと聞いています。彼自身ももともとは田中の秘書なんかと一緒に動いていたんですよね。

その後に中曽根のブレーンみたいな感じになって、国鉄改革のときにも彼が奔走して、それこそ動労の松崎なんかと対峙して、話を進めていった。

この前、ＪＲ東日本の総務部長を務めて社長にはなり損ねた花崎淑夫に会ったんですけど、国鉄改革ができたのは荒井さんのおかげで、あの人はすごいとやたらと褒めていました。

佐高　荒井は田中から中曽根に乗り換えたの？

森　乗り換えたというか、田中が死ぬまではずっと一緒にやっていた。古藤昇司という田中の最後の秘書がいたじゃないですか。あの人なんかとずっと一緒にやってきたんじゃないですかね。

彼は若いころからずっと、おやじの関係で政界の裏舞台に入って、いろいろと人間関係を操ってきたという感じですかね。警察の人脈も結構あるので、警察を使いながら革マル対策をしたりとか、そんなことをやっていたと聞いています。

佐高　中曽根自身がもともと、昔で言う内務官僚ですよね。

森　そうです。中曽根自身が裏仕事を得意とするタイプ。

佐高　だから、反体制派の取り締まりなんかを事とする側近も集まってきたんでしょうね。荒井はまだ現役ですか？

森　ええ。安倍政権の裏方として、政権を支えていました。菅とはあまり関係が良くないですけどね。

佐高　へえ、安倍ともつき合いがあったのか。いくつぐらい？

森　七四、五ぐらいじゃないですか。

佐高　私と同世代だな。

森　二〇代のころから田中角栄と一緒にやってきて、いまだに元気ですよ。杉田和博なんかとすごく親しい。

　杉田を安倍政権の官房副長官に就けたのは葛西だと言われていますけど、実際は荒井三ノ進だと思います。安倍政権についての本『悪だくみ』にも書きましたが、第一次安倍政権が終わった後、彼が経営する妙高高原リゾートという温泉付きのスキー場に、安倍晋三と安倍昭恵、杉田や的場順三[*6]を呼んで、反省会みたいなことをやった。次の第二次政権のときに誰を就けるかということになり、それで杉田に決めた、と。

佐高　そういう意味で、荒井三ノ進は重要な人物ですね。田中と中曽根のロッキード、中曽根のリクルート、そして安倍政権の人事にまで関わっているということになるわけですからね。

渡邉恒雄の人心掌握術

森　中曽根は実はロッキードのキーマンですよね。防衛庁長官や通産大臣を歴任し、戦闘機を日本に輸入する立場だった。

佐高　ロッキードは田中より中曽根が問題なんだということは、毎日新聞の岸井成格（しげただ）も常々言っていた。田中と中曽根は同い年なんですよね。ここが宿命を帯びていて、角福戦争よりも田中・中曽根のほうが面白い。

森　関係性が面白いし、戦後政治史的にも重要ですよね。

佐高　そうなんです。

　ロッキード事件に入る前に中曽根の立ち位置をさらっておくと、要するに中曽根は、河野一郎直系の河野派だったわけですよね。日蓮宗の総本山、池上本門寺に河野一郎の墓があります。大野伴睦[*7]の墓もある。さらに、児玉誉士夫が鐘楼を寄進している。池上本門寺は児玉をめぐる人脈を表しているんです。児玉の墓の向かい側に大映の永田雅一[*8]、裏側に東声会の町井久之[*9]の墓。少し離れて河野と大野伴睦、その隣に太刀川家、政商と呼ばれた萩原吉太郎[*10]、そして力道山の墓もある。

森　ある意味、壮観ですね。

佐高　児玉をめぐる人脈が勢ぞろいというのが日蓮宗の総本山の池上本門寺。中曽根と児玉の関係というのは、東スポの太刀川恒夫[*11]が間に入っているわけで、中曽根も池上本門寺の人脈とは色濃い関係にある。太刀川は児玉の秘書で、中曽根のところに預けられるわけです。

森　中曽根のもとに、いわば派遣されるんですよね。太刀川はまだ健在で、この間、東スポ社内で会いました。

佐高　いまだに東スポの社主だよね。

森　そうです。太刀川はマスコミ工作とかもいろいろやってきています。

佐高　私は太刀川に謝られたことがあるんです。私は以前から徳間康快[*12]のことを書きたいと思っていて、東スポに「金融腐蝕列島」などを書いていた高杉良さんに太刀川を紹介されたんです。東スポ連載を終えた高杉さんが、次はお前が何か書けみたいな話で、私は徳間康快伝をやろうと思ったわけです。

それで、第一回にいきなりナベツネ（渡邉恒雄[*13]）を出した。つまりナベツネは、徳間の読売の後輩で、共産党の後輩でもあるんです。徳間はナベツネの兄貴分なんだ。ところが徳間はナベツネにジブリを取られた、と。ジブリは徳間が育てて、ナベツネと氏家齊一郎がいいところを持っていった。それが徳間の言い分なんです。

私はそれを第一回に書いたんです。そして、担当者が最初に五回分ぐらい入稿してくださいと言うから出したんだけど、しばらく返事がない。どうなのかと思っていたら、担当者から「ちょっと社主が会いたいと言っている」と言ってきた。

要するに、太刀川はナベツネとケンカできないんですね。東スポ、大阪では大スポ、九州では九スポは、印刷と販売を読売に委託しているらしい。それで私は、ナベツネ批判は勘弁してくれと太刀川に頭を下げられたんです。

森　太刀川に謝られるという経験は、あまりないんじゃないですか。

佐高　私はそのときはあまり突っ張らずに、すんなり分かりました、と。それで東スポ連載は古賀政男の評伝に変えたんだけど。

徳間の評伝は『週刊金曜日』に連載して、本にしました。

森　ナベツネは大野伴睦に食い込んでいたわけだし、そこから中曽根、太刀川とのつながりもあった。

佐高　森さんはナベツネは取材していますか？

森　直撃取材みたいなのはありましたけど、じっくりインタビューしたことはないですね。

佐高　避けられている？

森　『文藝春秋』でナベツネを書こうと思って、いろいろ研究して、周辺の関係者には何人も会ったんですけど、ナベツネ自身はなかなか会ってくれませんでしたね。いまだに構想はあるんですが、本人がね。

　佐高さんは？

佐高　私が会ったのはもう一五年くらい前かな。これも高杉さんが間に入って、ナベツネは「何で俺をしつこく批判している佐高なんかと会わなきゃいけないんだ」と言ったらしいんだけど、そのうち飯を食おうという話になって、高杉さんと三人でホテルオークラの「山里」に行ったんです。ところが、会食の最初から最後まで猥談ばかり。

森　そういうのが好きなんですね。

佐高　というか、私に対する懐柔なのか、はぐらかしなのか、それともサービス精神なのかは分からないけど、これが面白いんです。かつてナベツネは、若い代議士なんかが相手だと、いきなり金玉つかんだというからね。そういうつき合い方をしてきたらしい。ナベツネは、大野伴睦をほとんど操っていたぐらいだから、人心掌握はお手のものなんでしょう。

『大野伴睦回想録』というのは痛快なまでに読ませる本だけど、これもナベツネが書いたと言われていますよね。

森　そうですね。知性派の政治家ではなくて、大野のような強烈な肉体派の実力者と組んだのがナベツネらしい。

佐高　たしかに。会食したとき、ナベツネは小泉批判をしていて、新自由主義への嫌悪では一致したんだけど、その後、小泉とはずぶずぶになってしまう。

森　会ったのは、小泉が首相になったころですか。

佐高　そうです。ナベツネの新自由主義批判は、真っ当な保守の視点という印象もあった。

森　でも、その後は完全に政権寄りですからね。

佐高　そう、小泉・竹中の新自由主義路線は延々と害悪を垂れ流し続けたのに。

ナベツネには読売新聞の本社でもインタビューしたけど、社長室じゃなくて、主筆室なんですよね。ナベツネはまだ主筆なのかな？

森　降りたという話は聞きません。

佐高　やたら勉強はする人ですよね。

森　本はよく読んでいるし、カントが好きだと言っていますが、哲学にも見識が深い。

佐高　マルクスをくぐっている経営者の最後でしょうね。資本主義を否定的な面から鷲づかみにした経験をもって経営者側に転じたわけだから、得体の知れない魅力はあるわけです。いまやジャーナリストにすら、マルクスをくぐった人はほとんどいない。

森　ナベツネはもともと共産党員ですからね。

城山三郎と中曽根康弘

佐高　いまの経営者には厚みがない。それは教養がないからだし、物事を重層的に見る目がないからです。政治家も、ジャーナリストもそうですよね。

森　ナベツネにしても、中曽根にしても、教養はありますよね。田中角栄は尋常高等小学校しか出ていないけれど、あれだけ世情に通じ、また頭も良かったと言いますから、人間的な厚みはあった。

佐高　だから田中は、中曽根最大のライバルだったんですよね。

森　結局、中曽根は、田中に首相にしてもらったわけじゃないですか。田中曽根内閣とか言われてね。前章で話した国鉄分割民営化にしても、中曽根は最初は実行できなかった。それは要するに、田中がいて、加藤六月がいて、国鉄を牛耳っていたからです。田中が脳梗塞で倒れたから、中曽根は国鉄改革ができた。

佐高　その意味で中曽根の軌跡は、田中に規定されていた部分がかなりある。

城山三郎さんは、けっこう中曽根と一緒にゴルフをしたりしていたんです。ゴルフが終わってメシ食う段になると中曽根は、「城山さん、日本はどうなりますかね？」とか訊くそうです。城山さんは、ゴルフやって、メシ食って、ゆっくりしようと思っているときに、

「日本はどうなりますかね？」とあまりに書生っぽい問いを投げかけられて参っていた。
ただ、そのへんが凡百の政治家とはレベルが違うというか、中曽根の本気度だったんだと思います。

森　そうですね。そもそも、城山三郎と中曽根がゴルフするというのは面白い光景ですね。

佐高　城山、中曽根のつながりを改めて考えると、海軍というのもあるかな。
城山さんは、『仁義なき戦い』の脚本家の笠原和夫[*14]と大竹海兵団で同期だった。海兵団一班の班長が笠原で、二班の班長が城山さんだったんです。その海兵団の二年上に美能幸三がいる。『仁義なき戦い』のもとになる獄中手記を書いたヤクザです。

森　映画では菅原文太が演じた「広能昌三」ですね。へえ、そうなんですか。面白いつながりですね。

佐高　飯干晃一の原作『仁義なき戦い』が美能幸三の手記をもとにしているので、笠原和夫はシナリオ・ハンティングに、美能に会いに行くわけです。映画化したい、と。そうしたら、「何言っているんだ」と美能に撥ねつけられる。でもまあ、せっかく来たんだから駅までは笠原を送ろうと、その道すがら美能が「お前、戦争中何してたんだ？」と訊くと、笠原は「このへんにいたんですよ、大竹海兵団です」。「おお、お前もそうか、全部任せる」という話になる。

それで、私はこの話を城山さんにして、笠原さんと美能さんに会いに行きましょうと誘ったら、城山さんは「うーん、いいね」と言っていたんですよ。

森 実現したんですか？

佐高 残念ながら。城山さんは腰が重い人だけど、面白いねというところまでは行った。でも機会を逃してしまった。一緒に行きたかったな。城山さんは品行方正な人だけど、崩れた人も好きなんです。だって直木賞受賞作が、『総会屋錦城』ですからね。

森 外れた世界も好きなんですね。

佐高 一方、海軍出身の中曽根は、妙に生真面目な好奇心を持ち続けた。ゴルフ場のレストランで城山さんに、どんな本を読んだらいいかと尋ねるんですって。城山さんは、伊藤桂一がノモンハン事件を生々しく書いた『静かなノモンハン』と、大江健三郎が障碍のある長男をテーマにした『新しい人よ眼ざめよ』を薦めたそうです。中曽根は紙ナプキンに書名をメモしていた。

そうしたら、しばらくして中曽根から葉書が来る。『静かなノモンハン』は面白かった、いい本を教えていただいた、と。でも、大江については何も触れていなかったそうです（笑）。

森 それは興味深いエピソードですね。

瀬島龍三の人物

佐高　伊藤桂一の本に反応するというのは、中曽根が精神的に戦争と軍隊にこだわり続けたからだろうけれど、彼は政治家としても防衛族だった。ロッキード事件[*15]の核心は、戦闘機の購入という軍事の話ですよね。

森　根幹はその通りですね。結局、ロッキード社と全日空との関係で事件になったけど、本丸は軍事です。だから、防衛庁長官や通産大臣を経て自民党幹事長になっていた中曽根が出てくる。

佐高　そこに瀬島も絡んでいたと思う。直接ロッキード事件には関与していなくても、瀬島が伊藤忠の航空機部に雇われたのは、やはり軍歴からでしょう。

森　それはそうです。山崎豊子[*16]が『不毛地帯』で瀬島のことを書いていますが、ダグラス・グラマンの代理店問題で瀬島の介在が取り沙汰されたのは、そのあたりですよね。

佐高　そう。だけど山崎豊子は瀬島の暗部を描いていない。

森　いいところばかりなんですよね。

佐高　前にも話しましたが、実感としても、私にとって瀬島は嫌なやつだった。

森　サイン本をそのまま古本に流された話ですね。

佐高　そうです。森さんの瀬島体験は？

森　会ったことはないですね。葛西が書いた『飛躍への挑戦――東海道新幹線から超電導リニアへ』という、ワックから出ている本があるんですけど。

佐高　最近の本？

森　わりと最近、二〇一七年です。この本に瀬島のことが書いてある。土光臨調の作戦参謀をしていた瀬島龍三伊藤忠商事元会長に接点が持てたことは幸運だった、と。瀬島にいろいろ相談をして、国鉄改革をやっていったということを葛西が書いている。

これはちょっと驚いたんですけど、葛西は要するに瀬島担当で、国鉄では瀬島の窓口は葛西だった。葛西は瀬島と二人だけで密談を繰り返して、国鉄改革を進めていったというんです。

佐高　なるほど。あり得る話だけど、貴重な証言ではあるね。

ワックというのは右の版元ですよね？

森　新潮社で『FOCUS』をやっていた鈴木隆一さんが独立してワックをつくって、そこに花田紀凱さんを呼んで、最初、編集長は花田さんにしたけどケンカして、花田さんが飛び出す。それで『Hanada』をつくったという。

佐高　『Hanada』は飛鳥新社、亡くなった土井尚道さんのところでしたよね。

森　ええ。花田さんは、スタッフも連れていっちゃった。でも、ワックが出している『WiLL』と、花田さんの『Hanada』は、毛色は同じです。

佐高　そうか、ワックは『WiLL』の版元か。ケンカ別れで類似雑誌が二つになったということですね。

葛西の本は貴重な内容のようだけど、評判にはならなかったの？

森　なっていないですね。

佐高　私も読んでみます。

瀬島の人柄がよく分かるエピソードがあります。一九八五年春、『サンデー毎日』編集長だった牧太郎が瀬島にインタビューした。すると瀬島は「ゲラを見せろ」と言い、牧太郎が自宅に持っていくと、赤鉛筆を取り出し、略歴の「大本営陸軍参謀」をこれは事実ではないとして「陸軍兼海軍参謀」と書き直し、「参謀というのは一〇〇人はいたが、陸軍と海軍を兼任したのは二人だけだった」と自慢げに話す。「中曽根内閣の有力なブレーンの一人」と書いた箇所に急に怒り出して、「私は中曽根ごときの使い走りではない」と言って、その部分を削除したというんですよね。

森　陸軍兼海軍参謀なんていたんですか？

佐高　一〇〇人のうち二人しかいなかったと瀬島は主張したらしいけれど。

瀬島の『幾山河――瀬島龍三回想録』という自伝を読むと、中曽根の依頼で何度も極秘に韓国に渡って全斗煥に中曽根の親書を渡したり、全斗煥から中曽根宛ての親書をもらって帰国している。これを普通は「使い走り」と言うんですよね。

森 自分が進言したと言いたいんじゃないですか。中曽根に進言して、わざわざ自分が行き帰りした、と。

佐高 瀬島の自意識からすればね。

それと、瀬島にはソ連のスパイという噂も消えないですよね。

森 関東軍作戦参謀だった草地貞吾は二〇年以上前に亡くなったけれど、取材した際に、やはり瀬島はスパイだと言っていましたね。

佐高 山崎豊子は、そういうところには目が行かない人でしょう。

森 善人と判断したら、ずっとそういう描き方になってしまう。日航を描いた『沈まぬ太陽』、主人公の恩地元のモデルになった小倉寛太郎[*17]にしても、彼の組合活動については通り一遍にしか描かない。そういう作風なんですね。小倉寛太郎はたぶん共産党員ですよね。

佐高 そうだと思います。小倉寛太郎と私は共著を出しているんです。

森 へえ、そうなんですか。

佐高 編集者がいろんな企画を考えるんですよ。岩波の編集者が言ってきて、小倉さんと対談してブックレットをつくったんです。岩波だから、共産党の線からの話だったかもしれない。その後、角川oneテーマ21で出し直しました。その追加対談の際、私の『週刊現代』連載をつぶした日航会長・伊藤淳二[*18]の批判をしたら、小倉さんもさすがに逃げましたね。

森　山崎豊子の『沈まぬ太陽』では、小倉と伊藤淳二が日航改革を実現したという書き方でしたよね。

佐高　小倉さんも、あのイメージをあまり壊したくなかったのでしょう。彼の話でよく覚えているのは、自分は排泄行為と生殖行為以外、子どもに見せられないような恥ずかしいことはしていないと言うんです。独特の言い方をするなと思った。

山崎作品にも、伊藤を発掘した男として瀬島が描かれますよね。

森　中曽根内閣が方針を立てた日航民営化を担う副社長を、いろんな人に断られて、最後、伊藤しかいなかったんですよね。

佐高　就任後、伊藤は、組合対策また共産党対策として、話し合えば分かるみたいに思い込んで、のこのこ共産党や組合本部に出向いて行くわけでしょう。

森　それが日航のなかで問題になっていく。

佐高　だから中曽根、瀬島も、伊藤を適当に使おうと思っていたら、予想以上の動きをしちゃう、というね。

森　そういう意味では、NHKの籾井問題と似ているかもしれないですね。菅と杉田は操れる、使えると思って籾井を会長に据えたけれど、籾井は良かれと思って暴走してしまい、それが世間の政権批判を呼び込んだりもする。

伊藤の振る舞いも日航社内でハレーションを起こしてしまう。それで結局うまくいかずに、瀬島と伊藤も仲が悪くなるじゃないですか。最終的に瀬島は、伊藤は使えないと判断して、首を切ろうとする。それに対して伊藤はふざけるな、と。これはNHKの構図と似ていますよね。

杉田は菅政権の裏側の作戦参謀的役割を負っていたと思いますが、まさに瀬島龍三も中曽根政権で同じことをやっていた。国鉄改革は、葛西という優秀な男がいたから、動労の松崎まで抱き込んでまんまと国労つぶしをやりおおせたわけですよね。

それはつまり瀬島と葛西の共同作戦で、普通は松崎を抱き込むなどという発想はあり得ないのに、それをやってしまうというのは、瀬島の陸軍作戦参謀らしい発想というか、策謀というか。

佐高　中曽根は元官僚、瀬島は元軍人でしょう。彼らは綿密に作戦を練って国鉄分割民営化のときに葛西を起用し、陰謀を成功させた。だけど、伊藤のことはうまく操縦できなかった。また菅と杉田は籾井にさんざん手を焼いた。

会社の社長、トップというのはお山の大将だから、指図は受けないみたいな勘違いがどこかにあるわけです。伊藤も籾井も、どこかでは俺のほうが上だぐらいに思っていたかもしれない。

森　そうですね。みんなが言うことを聞いてくれるわけだから。

佐高　中曽根・瀬島も、菅・杉田も、そこらへんの読み違いがあった。陰謀をめぐらす彼らの側に立って言うのも変ですが（笑）。

伊藤は四五歳のときカネボウでクーデターを起こして社長になる。それを書いたのが城山さんの『役員室午後三時』なんですが、伊藤はあの小説が嫌なんです。

森　そうでしょうね。クーデターは主殺しですからね。

佐高　論語を掲げる人には一番嫌な話であるはずです。主殺しを自分がやったと改めて見せつけられる小説だから、読みたくもない。それを伊藤は、山崎豊子に言うわけです。

森　ああ、あの小説は嫌だと。

佐高　それと、城山三郎は自分に取材もしなかった、と。それで山崎豊子が、それはおかしいと発言したのが座談会に残っている。城山さんは、物書きとは思えない発言だと怒っていた。

佐藤正忠の暗躍

佐高　ここでもう一人、中曽根内閣に欠かせなかった人物が登場するんですが、『経済界』主幹の佐藤正忠。山崎豊子の人物判断は佐藤の影響が大きい。

森　佐藤正忠は日航改革にも暗躍しましたものね。日航副社長だった利光松男に何か念書を書かせていたんですよね。あれは何でしたっけ？

佐高　佐藤が仲介人になって、利光に「殉死契約書」を出させたという、凄まじく気色悪い話です。「私は伊藤淳二会長を経営の師と仰ぎ、いったんことが起きたら殉死することを誓います」なんて書いてあったから、異常としか言いようがない。それを受け取った伊藤もおよそまともではない。

瀬島も、伊藤も、まともなジャーナリストから見れば、まっくろけか、不気味な陰りのある人物なんだけど、佐藤の影響下にある山崎豊子はそれを真っ当な存在として受け取り、そう描いてしまうわけです。

森　実は陰謀をめぐらせているんだけど、正義感で動いているように見せてしまう。

佐高　城山さんは佐藤なんかは相手にしないけれど、山崎は見事に取り込まれている。話がまた飛びますが、いまでは『Hanada』に連載したりしている堤堯が『文藝春秋』

編集長のとき、私に日鐵を書けと言ってきていろいろ調べたんですが、佐藤は日鐵にも食い込んでいるわけです。

森　ふうん、それはある意味で、大したもんですね。

佐高　佐藤は、日鐵の社宅の土地とかを買っていた。私はその噂を耳にして、登記簿謄本を文春の編集者に調べてもらったら、やはりそうなっていた。

森　『経済界』の持ち物に？

佐高　いや、佐藤個人。それを書いたら、堤が「ここを削ってくれ、そうすれば載せる」と言うんですよ。堤と佐藤は近かったわけです。堤は佐藤からネタをもらったりしていたんだと思う。

森　堤堯は露骨な右派に行ってしまいましたね。

佐高　花田の親分という感じじゃないかな。私の原稿をめぐって揉めたとき、文春の編集長が堤、担当編集者が松井清人(きよんど)。

森　そうでしたか。松井さん、亡くなりましたね。

佐高　晩年、ワンマン社長と呼ばれるようになるわけだけど、私が知っている松井はそういうタイプではありませんでしたね。

日鐵の原稿のとき、松井が「堤さんがここを削れと言っています」と言うんだよ。松井は私より少し下なんですが、私は削るのは嫌だと撥ねつけたの。削れないと言ったら、では載せられないと言うわけです。ああそうですかと引き上げたら、堤が、佐高の野郎は生意気だという話になって、私は文春に出入り禁止になっちゃった。

ただ面白かったのは、あのころ、私は『潮』によく書いていたから、文春が載せないなら、では『潮』に載せたいと松井を通じて堤に訊いたら、堤も悪いと思っていたのか、それはいいと言ったんです。取材費や下調べはすべて文春が持っていたのに。

森 そうですか。堤さんの後の時代ですが、僕が文春で日航の話を書いたときには、佐藤正忠が仲介した念書の話にも触れましたけどね。

佐高 堤の後なら通ったでしょう。

ロッキード事件の本質

森 いずれにしても、山崎豊子が『不毛地帯』で瀬島や佐藤を真っ当な人物としか描けなかったことは、小説ではあるけれど、ロッキードへの認識を浅くしてしまったと思います。

佐高 ロッキードは本質的には田中の事件じゃなくて、中曽根の事件だということ。官僚出身でエスタブリッシュメントの中曽根が生き残り、田中が落とされていくという背景があったと思う。そこにキッシンジャー[*19]という存在がいたわけでしょう。

森　そうです。中曽根がキッシンジャーに揉み消しを頼むわけですよ。それは公文書に残っていて、奥山俊宏という朝日新聞の記者が書いていますけど、「モミケシ（Hush up）」と記されているわけです。つまり、中曽根がキッシンジャーに揉み消しを頼んだわけですよ。それは田中のためにというよりも、自分のためだったんではないですかね。

佐高　そう思います。結果的には、ロッキードは田中追放につながっていったということですよね。そこには田中が志向した、資源戦略に根差した日本の自立ということも絡むわけでしょう。これも田中が進めたわけですが、日本が中国と近づくことも。そういう動きをキッシンジャーは徹底して嫌った。

片や、中曽根はナショナリストと評されることが多いけれど、キッシンジャーの弟子みたいなことを自称していて、実は対米従属を強化していく。キッシンジャーという人間を挟むと、田中と中曽根の違いがはっきり見えてくる。

森　キッシンジャーはニクソン、フォード両政権の国家安全保障担当補佐官で内務官僚タイプだから、中曽根と似てるんですよ。

佐高　そもそもの体質がね。

森　キッシンジャーはCIA工作を得意としていて、だから中曽根が瀬島を使ってやったようなこともさんざんやってきたはずです。キッシンジャーのほうが企みが上手かもしれませんが。

佐高　田中には、瀬島とか佐藤正忠みたいな人がいなかったですよね。

森　そうですね。聞かないですね。それこそ荒井三ノ進ぐらいしかいなかった。

佐高　その荒井三ノ進も、田中の死後はすぐに中曽根に行くという、それが象徴的じゃないですか。

森　児玉も、田中よりも中曽根のほうが近かったですものね。

佐高　完全にそうです。田中と近かった小佐野賢治[20]にしても、政商であったのは間違いないけれど、そこまでブラックかというと、そうでもない。

首相を目指していたころの田中の側近に麓邦明という、共同通信の記者から田中の秘書となった人がいて、その弟分が早坂茂三。早坂は東京タイムズの記者から田中の秘書になった。麓と早坂が、田中の刎頸（ふんけい）の友と言われる小佐野との関係を何とか清算してくれと田中に迫ったわけです。ところが田中は笑って、「小佐野はお前たちの考えているようなやつではない。心配するには及ばない」と言った。それで麓は辞表を出す。

森　小佐野はフィクサーというより実業家ですよね。山梨から出てきて、戦後、成り上がっていく過程が田中と似ています。

佐高　梶山季之が書いた『小説ＧＨＱ』という本があるんですが、これは一九七六年、ロッキード事件の年に刊行されている。主人公の一人、姫野八郎のモデルは小佐野なんですよ。占領軍の放出軍需物資で儲けていく、姫野たちの闇市的なしたたかさを梶山は描いている。

森　小佐野の側近というか、ボディーガードをやっていた右翼の人とはずっと仲良くしています。小佐野の話をよく聞かされました。

佐高　小佐野は旧伯爵令嬢の堀田英子と結婚したんですよね。

森　僕は小佐野夫人の英子を描こうと思ったことがあって、いっとき取材しました。結局、小佐野の国際興業は彼の死後、二〇〇四年にサーベラスという外資の傘下に入ってしまう。小佐野の死後、バブル崩壊を経て、小佐野帝国は瓦解していったんですよね。

小佐野によく面倒を見てもらったのがアイチの森下とサラ金、武富士の武井保雄[*21]。あの二人は小佐野の弟子みたいなものですね。

佐高　経済小説の清水一行さんに聞いた話で、なるほどなと腑に落ちたのは、ロッキードでは表向き田中が悪者だとされていたけれど、仕掛けたのはロッキードであり、全日空だと。悪辣な企業から仕掛けられて、田中はよっしゃ、よっしゃと引き受けたわけです。清水さんは「俺は小佐野側だから」と言いながら語るんですけど、しかし、それはなるほどなと思わせる。

要するに、政治家は目立つから悪者にされるけど、そもそもの話を持っていくのは企業のほうなんですよね。

森　たしかにそうですよね。全日空で言うと、若狭得治ですよね。運輸官僚から全日空社長になった。

佐高　若狭には会ったことがあるけれど、これがまた興味をそそる人なんですよ。なんだかフィクサーの吸引力を語る対談みたいになってしまいますが、いまは魅力ある悪者がいなくなってしまった。田中も会ってみれば魅力があったに違いない。

若狭は戦前に逓信省に入り、軍需省、運輸通信省と移ってきて、敗戦直前には満州からの海上輸送ルートを探ったりしていた。戦後は運輸官僚として造船、海運に関わるんだけど、結核の療養で数年リタイアしていて出世が遅れ、運輸次官になったのは五〇歳過ぎてから。

経済小説『金色の翼』でロッキード事件に迫った本所次郎さんと私は仲が良くて、本所さんが若狭に気に入られていたんです。それで全日空持ちで、芸妓から舞踊家になった武原はんがやっていた六本木の「はん居」という料亭に一緒に招待された。武原はんにも会いました。私の黒歴史と思われるかもしれないけれど。

森　書いていいのかな、と。

佐高　逆に言えば、物書きはそのくらい食い込まないと駄目なんだというね。黒歴史を持たないと、政商には迫れない。

森　たしかにそうですね。

中曽根が絡む軍事スキャンダルであったはずのロッキード事件は、いつの間にか全日空・丸紅事件になっていく。最終的に若狭も追放される。田中も失権し、中曽根だけが生き残る。

佐高　政治的、経済的な構造のなかの葛藤としてロッキードを見ていくと、もう一つあると思います。商社の構造で言うと、三菱商事や三井物産はなぜやらなかったか。丸紅・伊藤忠というと二番手、三番手でしょう。三菱や三井は昔はさんざんやってきて、ロッキードの時点ではすでにエスタブリッシュメントの地位があった。だから、やらなくて済んだということだと思う。丸紅・伊藤忠は、上位の三井・三菱に対抗するために、そこまでやらざるを得なかった。

会社の覇権という側面から見ると、そういう現実もあったんじゃないか。

森　二番手、三番手は無理してでもやらなきゃいけないという感じでしょうね。住友銀行とか三和銀行が東京に進出するために、無理して平和相銀を買収したり、イトマンに手を染めたりしたのと、構造的には似ている。

佐高　そういうことです。
　さらに、時の権力というのは検察を握っているから、二番手、三番手が無理してやった脱法行為を、また捕まえるわけですよ。自分たちの地位を安定させるために。
森　そういう意味でロッキードは、政界、財界の階級構造がモロに出たわけですね。三菱とか三井とか、古い財閥系の事件なんて、あまりないですものね。新興のエグいところが事件になっていく。

リクルート事件と文教族

佐高　リクルート事件[*22]も結局のところ、新興企業のエグさなんですよね。リクルートに一番近かった政治家は安倍晋太郎で、いわゆる文教族も束ねてたでしょう。晋太郎はそれなりの奥行きを持った政治家だったと思いますが、文教族には思想的タカ派というか、思想的バカ派がいるわけじゃないですか。三塚博とか、森喜朗とか。
森　中曽根内閣の官房長官だった藤波孝生[*23]も文教族ですよね。
佐高　中曽根のリクルートへの関わりは、番頭だった藤波を通じてだと思う。
森　たぶんそうですね。だから、藤波が前面に出てきて有罪になってしまった。ただ、藤波という政治家はカネに関しては汚かったらしいですよ。

『泥のカネ』という本で、ゼネコンから裏金を実際に運んだ人の証言として書いたんですけど、文教族のコネで大学の校舎なんかをつくるのに一億と言ったかな、大学の建設のために運んだと言っていました。文教族の連中はそういうことをやっていたんです。

佐高　藤波の失脚後、その利権は森が受け継いだんでしょう。

ロッキードのときはある意味で田中が身代わりになるような形で中曽根は助かって、リクルートのときは完全に自分の身代わりで藤波を差し出して、中曽根は逃げてしまう。

森　そう言われてみると、中曽根は相当に悪いやつですね。

佐高　中曽根は藤波に、「俺を全斗煥にするつもりか」と言ったというんです。当時、全斗煥は様々な不正を追及されて逃げ回っていた。藤波は周囲に「総理経験者が逮捕されるような国にしてはならない」と言っていたそうで、それが涙を誘う話として伝わっているけれど、実際のところ、それは中曽根の恫喝を藤波の側から繰り返した言葉でしょう。身代わりにお前が捕まれという話だった。

森　藤波は総理候補と言われて、一時期はすごく期待された政治家でした。彼は三重県選出で、僕は当時伊勢新聞にいたんですが、伊勢新聞は藤波のリクルート事件のことを書いてはいけなかったんですよ。触れてもダメなんです。

佐高　そりゃひどいね。

森　新聞なのにでたらめですよ。一国の政界を揺るがす大事件なのに。

佐高　逆に、北國新聞には「森、明日にも逮捕か」と出る。なぜかというと、当時は中選挙区制で、北國新聞は政敵の奥田敬和の新聞だったわけですよ。奥田は竹下派で、森とは「森奥戦争」を演じていた。

森　森は逮捕されなかったけれど、北國新聞の報道ぶりは有名ですよね。地方紙には、いまだに地方紙ならではの可能性があると思うけど、とんでもないしがらみが存在するのも事実です。

佐高　リクルートのときの伊勢新聞と北國新聞の報道姿勢はいまだに問題ですよね。

政治とカネということで言うと、結局、福田派というか清和会は、口先ばかりで金集めが得意でない政治家が集まっていたわけです。それで、新興企業のカネというのは危ないのに、そこに手を付けてしまう。そういう意味では、官僚を使って金集めできる経世会と、そうでない清和会という違いがあった。

森　田中派に利権を押さえられているから、そのすき間でどう稼ぐかということになると、リクルートだとか、JALとか、新しい利権が発生するところに食い込んでいくという図式ですよね。

国鉄といえば田中派だったけれど、国鉄改革によってJRに変わるとき、清和会の連中が、そこに巣くっていく。

佐高　間隙を縫って中曽根が虎視眈々と狙っていた。

森　そのあたり、中曽根は狡猾ですよね。

芸者にモテなかった中曽根

佐高　中曽根という人を表す面白いエピソードがあります。若き日の田原総一朗さんがテレビディレクターをしていたとき、ある番組で四人のゲストを招いて、集団催眠実験をした。ゲストは、当時早稲田の総長だった大浜信泉、卓球の世界チャンピオンの荻村伊智朗、雑誌『旅』の編集長からエッセイストに転じたばかりの戸塚文子、そして中曽根なんです。

制作スタッフ相手の予備実験では、スタッフ全員が見事にかかった。たとえば「眠くなる」と暗示をかけられると、全員がたわいもなく眠ってしまう。本当かよという気もするけど、そうだったらしい。

本番となり、今度はスタッフではなくゲストたちに催眠術をかけた。両手を出させて、「両手がだんだん近づいていきます、だんだん近づいて、ぴったりとくっつく。するともう離れない。どんなに頑張っても離れない」。その結果、中曽根以外の三人は実に素直に催眠術にかかったのに、中曽根だけは両手が離れなくなると言われてもあっさり離してしまったというんです。「あなたはもう椅子から立てない」と言われても、他のゲストが眠りこけたようにぐったりしている中で、中曽根だけは白けたような表情で立ち上がったというんですよね。

催眠術師が後で、「意外ですな。政治家は非常に催眠術にかかりやすいタイプと、まったくかからないタイプに二極分化していて、中曽根さんは当然かかりやすいタイプだと思っていたのですが」と言ったそうです。

森 中曽根は心から笑っていない感じがありますからね。

佐高 それと、中曽根は芸者にモテなかったらしい。裏表があるから。政界指南役の四元(よつもと)義隆*24がいる席では「先生、先生」と言ってへつらう。ところが、いない席では威張るそうなんです。態度が違うんでしょう。それを芸者は見ている。ある鼻っ柱が強い芸者が、中曽根がいる席を指さして、「私、あの人大嫌い」と言ったんですって。そうすると、中曽根は無視する。それで芸者は、「無視するところが、もっと嫌い」と言った。

城山さんのお別れの会で、挑発したつもりの挨拶を無視された私としては芸者に深く共感するんだけど、この話を吉永みち子にしたら、要するに、平気で態度を変えられるということは、芸者を人間として見ていないということだよねと言うわけです。それが芸者のほうからはよく分かる。

そのあたり、田中とはまったく違うんですよね。

森　田中は酒の席なんかでも人気がありそうですね。

佐高　田中は、むしろ芸者のほうに気持ちが行く。武智鉄二が田中と会食したとき、芸者が端唄か何かの一節を吟じたら、歌詞を間違えていた。それを武智が指摘しようとしたら、田中にさり気なく止められる。野暮なことしなさんなということなんでしょうけれど、芸者の側につく田中に、武智は感動するわけです。

森　なるほどね。

中曽根のひいきの料亭はどこだったんですかね。あまり聞かないですよね。

佐高　赤坂の「金龍」くらい？　たしかにあまり聞かない。

森　田中は赤坂の「川崎」とか「千代新」とか、ひいきが結構あって、おかみさんにも人気がありましたものね。

佐高　やはり人間的な魅力は、はるかに田中でしょうね。

松村謙三[*25]という、石橋湛山なんかと日中国交回復のための基礎を固めた富山出身のまともな保守政治家のことを『正言は反のごとし』という本で書いたんだけど、この人が何を勘違いしたか、中曽根をかわいがっちゃうんですよね。「緋縅の鎧を着た若武者」とか言って褒めてしまう。

松村という人は党の内外からものすごく信頼されていたわけです。一九五九年の総裁選に、岸信介が当選間違いないとされていたときに、反主流派の統一候補として出て、もちろん負けるわけですが、かなりの得票があった。だから、三木・松村派なんて言われていた。

中曽根は、松村にかわいがられたことをいいことに、「松村先生は最も尊敬する政治家」などと言って最大限利用するんです。

森　中曽根からすると、信頼を得るために使える後ろ盾だった、と。

佐高　そういうことです。

松村や石橋は、中国との関係を大事にした。松村は一九〇二年に早稲田の政経に入るんですが、その当時から日中関係を研究していたんです。そしてもちろん、日本の中国侵略を痛苦に目撃してきている。

松村が死ぬというときに、中曽根が松村の娘を呼び出して、これからは自分が中国との懸け橋になるので、誰に連絡すればいいのかと尋ねたというんです。それを聞いた田川誠一が怒り狂った。田川は松村と近かった。日中関係を利権としてしか考えないような中曽根が、中国への思いを政治家として形にしてきた松村の後継者になろうとするなんて許せないと思ったのではないか。田川は中曽根に、あなたに松村先生に教えを受けたなどと言う資格はないと言っています。

森　そういう身も蓋もない利用主義と、城山三郎に「日本はどうなりますかね」と訊く青臭さが中曽根のなかに同居している。

佐高　どちらも中曽根なんでしょうね。

戦後、政治家を志した中曽根は、群馬で青雲塾というのをつくるでしょう。青年団運動みたいなものですよね。それで、幟（のぼり）を立てて演説して歩く。

そういう世直しへの志というのは中曽根のなかにあり続けてもいて、いまの政治家たちとまったくレベルが違うなと思うのは、八七年、イラン・イラク戦争末期に中曽根がペルシャ湾に自衛隊派遣を考えたとき、官房長官の後藤田正晴[*26]が体を張って絶対駄目だと止めるわけじゃないですか。たとえ内務省の先輩である後藤田が止めたとしても、中曽根は押し切ろうと思えば押し切れた。

森　首相ですからね。

佐高　しかし中曽根は、そこで引き下がる。それは中曽根のすごさだと思います。そういう意味では、良くも悪くも、あまり原則がない人なのかもしれない。

森　バリバリのタカ派と言われるけれども、実はもっと、その場その場での立ち回り方ができる人で、むしろそれが強みだったのかもしれませんね。

佐高　毎日新聞で中曽根番だった松田喬和から聞いた話ですが、石原慎太郎がそれまでさんざん批判してきた田中角栄を書いた『天才』を出したとき、中曽根は言ったそうです。「これで慎太郎は作家としても終わった。政治家としてはもともと終わっている。政治家は右顧左眄していい。私も風見鶏だ。しかし芸術家が自分の信条にそむいたら終わりだ」

森　それは慎太郎のあの本への、最も本質的で手厳しい批評ですね。

佐高　今回、上げたり下げたりですが、たしかに中曽根に何かしらの凄みがあるのも事実なんですよね。

中曽根は田中内閣の誕生に手を貸すわけです。田中が日中国交回復をやると言うので自分は降りて支持したと中曽根は言っていたわけですが、「それは違う、金もらったんだ」と中川俊思（しゅんじ）が『週刊新潮』に暴露した。派閥ぐるみで七億もらったとしゃべってしまう。それが大問題になると、中川は『週刊新潮』のでっち上げ記事だと言い出す。

森　そういう意味では、中曽根はいろんな危ない場面を切り抜けてきていますね。一〇一歳まで生きたし、まあ、凄い人生ではありますね。

佐高　田中がいろいろ言われるけれども、したたかさでは田中以上ですね。

自由主義路線を始めた中曽根

森　佐高さんと僕で中曽根を褒めていても仕方ないので、中曽根批判の重要なポイントを言うと、いまの新自由主義というか、規制改革緩和路線を始めたのは中曽根ですよね。

佐高　そう。レーガン、サッチャー、中曽根ですね。あいつらが弱肉強食を肯定する社会をつくった。

森　ロッキードの話じゃないけれど、アメリカとの関係で言えば、中曽根が一番アメリカに隷属して、アメリカ流の政策や社会構想を日本に輸入してきた。だから田中とはかなり違うんですよね。

佐高　謀略史観的に言うと、戦後の首相でアメリカに反逆して追われたのが石橋湛山と田中角栄。反逆というか、日本の自立路線を掲げた。他の首相は自立を志向していない。

森　それは戦後日本の宿命的なものであるのかもしれない。

佐高　キーワードは中国で、日本が中国と近づくことを何よりもアメリカは警戒しているから、逆に言うと、中国と真っ当につき合おうという政治家は狙われる。

森　最近、春名幹男さんが『ロッキード疑獄』という本を出して、面白いですよ。さきほど話した奥山さんの仕事をさらに精緻にした感じです。

要は、キッシンジャーの思いとしては、田中角栄が自分たちより先に中国に手を伸ばしたことへの不快感が深かった。もともとはアメリカが先行して中国と国交を結ぶつもりだったのが、田中に先にやられたから、田中角栄に対する嫌悪が強くて、田中はロッキードでやられてもいいだろうと差し出す。日本の検察にやってもらってもいいだろうということで、キッシンジャーの頭のなかでロッキード事件が組み立てられた。

たしかに田中は賄賂をもらっているから、事件として成立するのだけれど、中曽根は外されるわけですよ。キッシンジャーは中曽根と関係があるから、中曽根を守るという構図になる。

実際、アメリカもその後、中国やソ連と関係を築こうとしていくわけですよね。そういうアメリカの戦略のなかから、田中という存在は外れていた。アメリカの思惑と違うことを先走って実現してしまった。そこに、キッシンジャーの、またアメリカの体制意識からの、このやろうという思いがあったという気がしますね。

佐高 田中は先走ったと同時に、アメリカにとっては日本が独自で動くのが嫌なんですよ。でも、私なんかはよく言うんだけど、原爆を落とした国に何で忠誠を誓うんだ、と。

田中の前の佐藤栄作は台湾重視でやっていた。それはアメリカの思惑に従っていたということです。台湾重視で中国の国連加盟を阻止していた。そうしたら、突然、キッシンジャーが北京に飛び、ニクソン・ショックで訪中が宣言される。いまと似ているんですよ。台湾有事とか言っているけれど、アメリカがどう動くかは分かりません。

日中国交正常化の前夜で面白いのは、幹事長だった保利茂[*2]の動きです。突然キッシンジャーに米中頭越し外交をやられて、キッシンジャーの思惑はいいんだけれども、それまで自民党は台湾、台湾と言っていたのに、日本も中国に対して何か働きかけをしなきゃならないわけでしょう。

保利は、当時の都知事の美濃部亮吉が訪中する際に、美濃部に保利書簡を託すんです。保利は美濃部に、「あなたの立場で私の書簡を持っていくことが大変なら断ってくれていい」と、相手の立場を気遣いながら打診する。美濃部は、「日本と中国の未来のためなら」と引き受けて、周恩来に渡すわけですよ。周恩来は表向きは「信用できない」と蹴飛ばすんだけど、実はものすごく心打たれるわけですよ。それが、田中の国交正常化につながる布石になる。

森　保利茂は政治家としては渋い存在でしたが、その働きは往年の保守政治家の面目躍如という感じですね。革新の美濃部を使って周恩来に書簡を渡すという発想には奥行きがある。

佐高　岸井が政治記者として保利に食い込んでいたから、私も一度は保利に会いたかったと思います。保利は福田派だったけれど、田中のことも好きだった。日中国交正常化の前段階での活躍も含めて田中人脈にも連なっていると言っていい。

一方、中曽根と中国の関わりと言うと、首相在任中、一九八五年八月一五日の靖国公式参拝に触れないわけにはいかない。これは当時、中曽根の軍国主義的志向の現れとして厳しく批判されたし、ことに中国からの抗議が高まったわけです。すると中曽根は、翌年から参拝を止めている。

「中国の親日派の立場が悪くなることを懸念して止めた」と中曽根は言うんだけど、ここでも風見鶏ぶりが発揮されたのは間違いない。単純真っ直ぐのタカ派ばかりになってしまったいまの保守に、最低限、状況を複眼で見る中曽根に学べと言いたいですね。

*1　城山三郎（一九二七〜二〇〇七）　名古屋市生まれ。海軍特別幹部練習生として終戦を迎える。一九五八年、『総会屋錦城』で直木賞を受賞し、経済小説の開拓者となる。吉川英治文学賞、毎日出版文化賞を受賞した『落日燃ゆ』のほか、著書多数。

*2　渡辺淳一（一九三三〜二〇一四）　北海道生まれ。作家、医学博士。一九五八年、札幌医科大学医学部卒業後、母校の整形外科講師を務めるかたわら小説を執筆。七〇年『光と影』で直木賞、八〇年『遠き落日』『長崎ロシア遊女館』で吉川英治文学賞、二〇〇三年紫綬褒章、菊池寛賞を受賞。

*3　小泉純一郎（一九四二〜）　神奈川県生まれ。一九六七年慶應義塾大学経済学部卒業。福田赳夫の秘書を経て、七二年の衆議院選挙で初当選。厚生相、郵政相などを歴任。二〇〇一年、三度

目の立候補となる自民党総裁選で総裁に選出され、第八七代首相に就任。〇二年、日本の首相として初めて北朝鮮を訪問し、北朝鮮に拉致された五人の帰国を実現。〇五年総選挙で郵政三事業の民営化の是非を有権者に問い、圧勝を収めた。〇六年に首相退任。

＊４　村上正邦（一九三二〜二〇二〇）　福岡県生まれ。一九八〇年の参院選で初当選。労相、志帥会（現二階派）会長、自民党参院議員会長などを歴任。「参院のドン」の異名を取る。二〇〇一年、ＫＳＤ中小企業経営者福祉事業団をめぐる汚職事件に絡み、受託収賄罪で逮捕。懲役二年二ヵ月の実刑判決を受ける。最晩年、「日本会議」創設の立役者としても注目を浴びた。

＊５　荒井三ノ進　スキー場やホテルを経営する荒井アンドアソシエイツ代表。新潟県で成功した父親から事業を引き継ぐかたわら、田中角栄、中曽根康弘を支援し、政界に一定の足場を築く。安倍晋三元首相とは安倍の叔父にあたる西村正雄（元みずほホールディングス会長）を通じて出会ったとされる。

＊６　的場順三（一九三四〜）　滋賀県生まれ。一九五七年、京都大学経済学部卒業後、大蔵省入省。主に主計畑を歩み、主計局次長などを務める。八五年、内閣官房に移り、内閣審議室長、内閣内政審議室長などを歴任。八九年、国土事務次官就任。その後、帝人監査役などを経て二〇〇六年から〇七年、第一次安倍内閣で内閣官房副長官を務めた。

＊７　大野伴睦（一八九〇〜一九六四）　岐阜県生まれ。明大専門部生のときに護憲運動で騒擾罪に問われる。そのまま政友会の院外団員となり、一九二二年東京市議会議員。三〇年岐阜県から衆議院議員に当選、翼賛選挙で落選したほかは連続一三回当選。この間、吉田茂内閣、鳩山一郎内閣を、主として自由党、自民党の総務役として支える。衆議院議長二回。岸信介内閣のあと、党

人派を総結集して総裁選に挑んだが、官僚出身の池田勇人に敗れた。

*8　永田雅一（一九〇六〜一九八五）　一九二五年、日本活動写真（日活）京都撮影所に入り、三四年に第一映画社代表、三六年に新興キネマ取締役京都撮影所所長、四二年に大日本映画製作（大映）専務、四七年社長に就任。五一年『羅生門』がベネチア映画祭グランプリを受賞するなど数々の名作を手がけ、大映の黄金時代を築く。またプロ野球のワンマンオーナーとして君臨、〝永田ラッパ〟の名で知られた。政界とも深く関わり、政界の黒幕とも呼ばれた。

*9　町井久之（一九二三〜二〇〇二）　東京都生まれ。在日韓国人二世。専修大学専門部中退。戦後まもなく、愚連隊を率いて銀座に進出、住吉一家などと抗争を繰り返して勢力を拡大。一九六〇年代に暴力団「東声会」を率い、一五〇〇人の構成員を抱えた。児玉誉士夫の側近として、その人脈を通じ、大野伴睦や河野一郎ら政界とのパイプを築く。また、日韓国交正常化交渉の水面下で暗躍。朴正熙韓国大統領の信頼を得て、日韓を股にかけたフィクサーとして知られた。

*10　萩原吉太郎（一九〇二〜二〇〇一）　一九二六年、慶應義塾大学理財科卒業後、三井グループの中心的な存在だった三井合名に入社、四〇年にグループ内の北海道炭礦汽船に移籍。五五年に社長に就任。児玉誉士夫らと親交を結び、政商と言われた。三木武吉、河野一郎、鳩山一郎らと深い交流をもった。

*11　太刀川恒夫（一九三七〜）　神奈川県生まれ。一九五五年、山梨県立日川高校を卒業。六〇年から児玉誉士夫、中曽根康弘の書生を経て、中央大学法学部（二部）に入学、昼は中曽根事務所で働き、夜は大学に通った。六六年大学卒業後、児玉の秘書を務めた。七六年、ロッキード事件に絡んで外為法違反などで東京地検特捜部に逮捕され、懲役四カ月執行猶予二年の判決を受ける。

東京スポーツ、東スポ殖産などの児玉系企業で社長や役員を務める。現在は東京スポーツ会長。

*12　徳間康快（一九二一～二〇〇〇）　神奈川県生まれ。読売新聞記者などを経て、一九五四年に徳間書店を設立。その後、東京タイムズ、大映レコード会社のミノルフォン（現徳間ジャパンコミュニケーションズ）などを傘下に収め、徳間グループをつくった。特に映画では日中合作の『敦煌』など国際的な大作を手がけ、話題を呼んだ。また、スタジオジブリを設立して宮崎駿、高畑勲両監督のアニメ映画づくりを後押しした。政財界とのつながりも深く、リクルート事件では未公開株の譲渡先として名前が挙がった。

*13　渡邉恒雄（一九二六～）　東京都生まれ。一九五〇年、東京大学文学部卒業後、読売新聞社入社。ワシントン支局長、政治部長、論説委員長などを経て、読売新聞グループ本社代表取締役・主筆。著書に『派閥』『君命も受けざる所あり』『わが人生記』など。

*14　笠原和夫（一九二七～二〇〇二）　東京都生まれ。日本大学英文科中退。海軍特別幹部練習生からさまざまな職を経て東映宣伝部に入る。一九五八年からシナリオ執筆を始め、東映任侠映画路線の花形ライターとなる。『仁義なき戦い』四部作、『日本侠客伝』シリーズ、『博奕打ち　総長賭博』『二百三高地』『大日本帝国』などを執筆。

*15　ロッキード事件　米ロッキード社の航空機売り込みに絡む戦後最大の汚職事件。一九七六年、米上院外交委員会の多国籍企業小委員会公聴会で、ロッキード社のエアバス「トライスター」の全日空への売り込みと自衛隊次期主力戦闘機F‐15と対潜哨戒機P‐3Cの採用に、三〇億円以上の不正工作資金が使われたことが判明。疑惑の中心は、田中角栄前首相が五億円を収賄したというもので、他の関係者は橋本登美三郎元運輸相ら政府高官、ロッキード社日本総代理店丸紅の

幹部、全日空幹部、児玉誉士夫、小佐野賢治など。児玉による工作に関与したとして中曽根康弘も灰色高官の一人と目され事情聴取を受けたが、その疑惑は解明されなかった。裁判は七七年一月から丸紅、全日空、児玉、小佐野の四ルートに分けて進められ、判決では田中に懲役四年の実刑判決が言い渡されるなど、他の被告も有罪となった。被告らは東京高裁に控訴し、さらに最高裁に上告したが、審理中に田中元首相ら五人の被告が死去し、公訴棄却となった。

＊16　山崎豊子（一九二四〜二〇一三）　大阪市生まれ。京都女子高等専門学校（現京都女子大学）卒業。毎日新聞大阪本社学芸部勤務のかたわら小説を書き始め、一九五七年に『暖簾』を刊行。翌年、『花のれん』により直木賞を受賞。新聞社を退社して作家生活に入る。『白い巨塔』『不毛地帯』『二つの祖国』『大地の子』『沈まぬ太陽』などがベストセラーに。九一年、菊池寛賞受賞。二〇〇九年『運命の人』で毎日出版文化賞特別賞受賞。

＊17　小倉寛太郎（一九三〇〜二〇〇二）　東京大学法学部卒業。一九六一年から二年間、日本航空労組委員長を務める。九〇年、アフリカ調査開発部長を最後に退職。山崎豊子の小説『沈まぬ太陽』の主人公・恩地元のモデルとされる。

＊18　伊藤淳二（一九二二〜）　長野県生まれ。一九四八年、慶應義塾大学卒業後、鐘淵紡績（のちのカネボウ、現トリニティ・インベストメント）に入社。化粧品や食品などへの多角化をめざす計画を立案。六八年社長、八四年に会長。八六年に日本航空会長となるが、労使問題を批判され、翌年辞任。

＊19　キッシンジャー（一九二三〜）　ドイツに生まれる。ナチスの迫害を逃れて一九三八年に渡米、ハーバード大学卒業。国際政治学者として〈柔軟反応戦略〉を提唱する。六九年から七五年まで

大統領補佐官、七三年から七七年まで国務長官としてベトナム和平、中東和平工作など国際政治の舞台で活躍。七三年にノーベル平和賞を受賞。

＊20　小佐野賢治（一九一七〜一九八六）　山梨県生まれ。高等小学校卒業後に上京し、自動車部品商から身を起こす。一九四七年に国際興業を設立。運輸、ホテル事業に乗り出し、事業を拡大。このころに田中角栄、児玉誉士夫らと知り合い、政商として活動。ロッキード社から全日空へのトライスター売り込み工作に絡んで、国会での議院証言法違反に問われ、一審、二審で有罪判決を経て最高裁に上告していたが、死亡により公訴棄却。

＊21　武井保雄（一九三〇〜二〇〇六）　埼玉県生まれ。消費者金融「武富士」創業者。家業の酒類販売業などをしながら、一九六六年に武富士前身の富士商事を起業。団地に住む主婦相手に貸金業を始め、七〇年代前半から本格的に消費者金融に乗り出す。七四年に社名を武富士に改称、業界最大手となる。九三年に高額納税者番付で全国トップ。二〇〇〇年から翌年にかけ、武富士に批判的なジャーナリストの電話を盗聴したとして警視庁に逮捕され、会長を引責辞任。〇四年に東京地裁で懲役三年、執行猶予四年の有罪判決を受けた。

＊22　リクルート事件　一九八六年、情報関連企業リクルート社が事業拡大のために政界・財界・マスコミの実力者に子会社リクルートコスモス社の未公開株をばらまいた汚職事件。江副浩正リクルート会長（当時）が急成長した自社の政・財・官界での地位を高めるために行われたといわれる。八八年、神奈川県川崎市の助役が株の譲渡を受けていたという報道を発端に事件が中央政界に波及した。江副は八九年に贈賄罪で逮捕。竹下登内閣が総辞職に追いこまれた。裁判は一四年の長きにわたったが、二〇〇三年、執行猶予つき有罪、文部省・労働省の官僚、ＮＴＴの経営者

らも有罪となったが、政界では、自民党の藤波孝生（労相、官房長官を歴任）が受託収賄罪で起訴され、九九年有罪が確定した。

＊23 藤波孝生（一九三二～二〇〇七） 三重県生まれ。三重県議を経て一九六七年、衆院選に出馬し初当選。七九年に労相を務め、八三年、中曽根内閣で官房長官に就任。将来の首相候補と目されていたが、リクルート社側から未公開株一万株と小切手二〇〇〇万円の賄賂を受け取っていたとして、八九年に受託収賄罪で在宅起訴される。九九年、最高裁の上告棄却で有罪が確定し、自民党を離党。執行猶予中の二〇〇〇年に無所属で立候補し当選。〇三年に政界引退。

＊24 四元義隆（一九〇八～二〇〇四） 鹿児島県生まれ。東京帝大を中退し、安岡正篤の私塾・金鶏学院に入る。のち井上日召に傾斜。一九三二年の血盟団事件では牧野伸顕暗殺未遂で、懲役一五年。四〇年、恩赦で出獄。戦後は建設会社を経営。池田勇人、佐藤栄作、中曽根康弘ら、歴代首相の指南役といわれた。

＊25 松村謙三（一八八三～一九七一） 早稲田大学卒業後、報知新聞記者、富山県議を経て、一九二八年に衆議院議員に初当選以来、公職追放中を除き連続当選。六九年に引退。この間、東久邇宮内閣の厚生相、幣原内閣の農相、鳩山内閣の文相を歴任。改進党幹事長となった。終戦後、第一次農地改革を推進し、その後日中友好・国交回復に尽力。

＊26 後藤田正晴（一九一四～二〇〇五） 徳島県生まれ。一九三九年、東京帝国大学法学部卒業、内務省入省。自治省を経て警察庁長官、内閣官房副長官を務める。七六年に衆議院議員に初当選。以後、七期当選。自治相、行政管理庁長官、総務庁長官、法務相、副総理を歴任。中曽根内閣では官房長官を務めた。鋭い舌鋒や認識力から〝カミソリ後藤田〟の異名をとった。九六年に政界

引退。

＊27　保利茂（一九〇一〜一九七九）　佐賀県生まれ。中央大学経済学科卒業後、報知新聞記者などを経て一九四四年に衆議院議員に初当選、以後当選一二回。四九年日本民主党幹事長として民主自由党との保守合同を図り、自由党を誕生させた。第三次吉田内閣で労相、第五次吉田内閣で農相を務め、第二次佐藤内閣の建設相、第二次・第三次佐藤内閣の官房長官、七三年第二次田中内閣の行政管理庁長官などを歴任した。

第4章　竹中平蔵と「総利権化」の構造

宮内義彦という存在

佐高　統一教会、創価学会、そして許永中から始まって葛西、中曽根ときて、フィクサーや政商や宗教団体を通じ、戦後史の闇のなかに私たちの現在地を、二人で探ってきました。大物扱いする気はないけど、経済崩壊、日本破壊のいまを象徴する人物としては竹中平蔵じゃないかと私は思ってるんです。

ただ、竹中に至るまでの重要な人物として、オリックスの宮内義彦がいるわけですね。

森　まさに竹中と宮内が、小泉規制改革路線の両輪でした。

佐高　時代は違えど、中曽根と小泉が出てきたのは、それぞれの前提として、自民党としての閉塞があった。まさかあそこで小泉が橋本龍太郎を破るとは思わなかった。

中曽根も傍流だったけど、小泉はもっと傍流。傍流は、既得権益に安住する主流とは違うことをしなければ存在を主張できない。だから小泉が自民党をぶっ壊すと言ったとき、経済界においても財界本流とは結びつきにくいわけですね。中曽根もそうだったし、小泉もそうだった。

私流に言えば、財界傍流と結びつくきっかけとして、お題目として掲げたのが規制緩和で、そこにスルリと入り込んできたのが宮内義彦ですね。宮内は、「フォーラム・ユーリカ」とかいう参院初当選以来の小池百合子の後援会長でもあった。

森　二人とも関西学院大学出身ですね。

佐高　そうです。

森さんは『サラリーマン政商――宮内義彦の光と影』という本を書いているわけですが、オリックスという会社について話しますと、元はオリエント・リースという会社で、一九六四年創業、私が経済誌をやっていたころに軌道に乗り始めたぐらいの会社なんです。三和銀行と日綿のある種の寄り合い所帯としてスタートし、三和銀行の乾恒雄[*1]が社長になって、次に日綿實業出身の若い宮内を引っ張り上げる。三和銀行のニューヨーク支店長なんかをやった乾は洒脱ないい人で、私は好きだったんですけれど。

笑い話で、あのころオリエント・リース、リース会社というのは何をやるのか分からないわけじゃない。

森　設備賃貸業の先駆けでしたからね。

佐高　オリエント・ソースと間違えられて、ソース会社なのにソースが一本もないと言われたり、社員旅行に行ったら「オリエン・トリスさま」と書いてあったとか、そういう話があるぐらいだった。それが世の時流に乗って、リース業がいろんな形で広がっていく。

当時、ニュービジネス協議会というのがあって、二〇二二年に亡くなった野田一夫[*2]という、ピーター・ドラッカーの紹介をしたりした経営学者が、初代会長だった。

森　野田はその後、多摩大学の学長になりますよね。

佐高　そう。彼は、ソフトバンクの孫正義とかパソナの南部靖之[*3]とか宮内なんかを従えて、自分が教師ぶっていたわけです。

森　そうでしたね。

佐高　森さんの『サラリーマン政商』を読むと、特に乾が亡くなった後、宮内がでかい面をするようになっていくのがよく分かる。乾がいるころは私なんかもフリーパスで取材ができたんだけど、宮内時代になると、まったく受け付けなくなるわけです。

森さんはもっとひどい目に遭っているんですよね。

森　ひどい目というか、訴えられたわけです。

『サラリーマン政商』のもとになる原稿は『月刊現代』で連載したんですが、一番最初は『文藝春秋』で書いたんです。そのときに宮内は長いインタビューを受けた。最初は調子よくしゃべっていたんですけど、だんだん顔色が青くなっていく。でも二時間ぐらいインタビューしたかな。

宮内が言わんとするところは、市場開放して、新しい民間の血を入れないと日本のビジネスは成長しないんだ、ということ。でも僕からすると、結局、政策的に市場開放されたところに、あなたたちが利権として入り込んでいるだけじゃないか、と感じたわけです。

佐高　まさにそれが本質的な構造ですね。

森　宮内自身が規制改革会議の議長になって旗を振って、それを竹中平蔵と両輪でやっていくわけです。

佐高　製造業での労働者派遣事業の解禁を答申したのも宮内です。

森　そのあたりの政商としてのあり方を突っ込んでいくと、それは誤解だと、自分の仕事と政府系会議での立場とはかっちりと分けている、という言い方なんだけど、実際は、リース業協会として規制緩和の要望を出して、規制緩和会議を開いて、それを小泉時代に政策に落とし込んでいくみたいな流れが明らかにあった。誰が一番そこで仕事を請け負っているのかというと、やはりオリックスになるわけです。では、最終的にはオリックスのビジネスじゃないかと私は考えました。

まず『文藝春秋』で書いて、その後『月刊現代』で連載をして、これを本にしたら宮内が訴えてきて、延々五年近く裁判が続きました。損害賠償請求額の総額が二億何千万円かだったと思います。結局、宮内は、僕に対しては裁判そのものを取り下げるということになって、その後、講談社のほうとは和解するみたいな話になった。もちろん金銭による手打ちはないです。講談社は、表現が遺憾でしたみたいなことを表明して、そこでちょっと揉めました。

佐高　その裁判では講談社が前面に立った？

森　そうですね。僕はもちろん謝りもしないし、あり得ないじゃないかと思いました。五年にもわたるものだから、向こうの弁護士も、もういいんじゃないか、と。その間、裁判長も何人か代わるわけですよ。その都度、争点が定まらずにやっているから、何とか折り合いをつけたいと言ってきたので、そもそもそちらが訴えてきたんだから、取り下げてくれるなら僕はそれでいいですよと言って、それで僕の分は取り下げとなったんですね。でも講談社とは和解したいみたいなことで、一応和解条文を取り交わしたということです。

佐高　森さんの弁護とかを含めて、全部講談社が持ちましたか？

森　そうですね。弁護士をつけてくれました。

佐高　宮内側が一番うるさく言ってきたポイントはどこですか。

森　やはりさきほど話した部分で、我田引水的なことはやってないんだという主張ですね。

佐高　やっているじゃない。

森　そう、こちらとしては、いや、そのものじゃないか、と。

佐高　向こうの弁護士は？

森　元特捜部の矢田次男。

佐高　ヤメ検ね。

森　矢田から僕に直接電話がかかってくるんです。「森さん、いい加減にしようよ」と。いい加減も何も、こっちは訴えられているほうなんだから。

　矢田は、いまでもバーニングとかジャニーズとかの弁護士をやっていて、とにかくいろんなところに登場するヤメ検の大物と言えば大物ですね。

「問題なのはNHKならぬMHK」

佐高　オリックス論から話が外れるけれど、稲盛和夫なんかも含めて、得てして財界傍流のほうは訴えてくるんですよね。稲盛は斎藤貴男を訴えている。

森　そうですね、金があるし、それに暇というか。

佐高　財界本流がいいわけでもないんだけども、本流は訴えない。メディアの批判はあり得る、と心得てはいる。

森　訴えるというのは、そこで他の記事を止めたいという狙いがあるんですね。たしかに、訴えると他のメディアが萎縮してしまうので、裁判が抑止力的なものにはなっているかもしれない。

佐高　日本振興銀行会長だった木村剛*4にも私は訴えられた。

森　そうなんですか。

佐高　日本振興銀行がヤバくなってきていた。日本振興銀行は親族企業に金を貸す。当時金融担当大臣が竹中で、日本振興銀行設立を認可するんだよね。普通、銀行の認可はそう簡単にはいかないのに、竹中が強引に認可した。木村剛には、後に日銀の総裁になる、福井俊彦もまたバックにいるわけです。

二〇〇九年に不正融資疑惑が浮上したときに、私は「サンデーモーニング」で、いま問題なのはNHKならぬMHKだと言っちゃったのね。

森　MHKとは？

佐高　Mは村上世彰（よしあき）、Hはホリエモン、そのときMとHはもう捕まっているわけ。Kは捕まってないけども、本当は一番最初に捕まるべきはKだ、と言ったんです。

私は「K」って言っていたんだけど、関口宏さんが当然訊くわね。「Kって誰ですか？」と。「KはKですよ」と言って逃げればよかったものを、朝だから頭がぼうっとしていて、私は「木村剛という人ですね」と言ってしまった。

森　番組の中で？

佐高　そう。で、すぐに訴えられた。さっき森さんに、講談社は前面に出たかとしつこく訊いたのは、そのとき、TBSはノータッチだったからなんだよ。

森　え、ノータッチなんですか？　話の流れからしても、普通に考えると、番組を一緒につくっている責任がありそうなものですが。

佐高　それこそTBS側は、言っちゃいましたね、みたいな言い方をしていた。それに、訴えられたのも私のほうだけなんだよ。木村はTBSは訴えなかった。だから私が個人的に弁護士を頼んだ。

森　それは大変だったですね。

佐高　私はTBSに期待してなかったから言いもしなかったけど、筋からすれば、やはりTBSがやるべきだよね。

森　メディア側が佐高さんに出演依頼しているわけだし、そういうときはメディアが弁護士費用も含めて面倒を見るべきです。

佐高　そういう感覚は、テレビにはないね。

森　テレビはそもそも深く突っ込まないじゃないですか。だから、そのときの関口さんは、よくそこまで突っ込ませたなという気はします。

佐高　関口さんは「言わせた自分にも責任がある」とは言っていたけど、私が逃げて言わないと思って振ったのかもしれない。

森　ああ、そのときにね。村上世彰とホリエモンの名前は言ったわけですか。

佐高　彼らは実際に捕まっているから問題ないわけです。

五年に及ぶ森さんの訴訟経験からすれば大したことないけど、あのときは一年くらいやられましたよ。一年たって木村は、捕まる寸前に取り下げてきた。

森　木村はともかく、テレビ局の対応には違和感が残りますね。出版社には、そういうときは、さすがに自分たちが面倒を見なければいけないという矜持（きょうじ）があるんじゃないですかね。『週刊新潮』のときは中の人間だから社が対応するのは当然だけど、亀井静香に訴えられて、損害賠償請求額は五億くらいでした。結局、亀井も取り下げてきたんですけどね。

書かれた側からの訴訟や抗議は幾つかありますが、大きなところで言うとオリックスと亀井静香ですね。すべて版元が前面に出ましたね。

蟻の一穴からすべてが崩れるというフィクサーたちの恐れ

佐高　いつも言うんですが、アメリカの新聞は訴訟費用を積み立てている。

森　へえ、なるほど。

佐高　つまり、訴えられることを前提として、覚悟して、報じているわけですよ。日本の新聞には、その覚悟はない。

森　新聞はないし、もちろんテレビもないでしょうね。

佐高　雑誌もない。ただ、文藝春秋にしても新潮社にしても講談社にしても、訴えられたら矢面に立って対応する構えはある、と。

森　それは当然だろうという思いはありますよね。

佐高　木村から訴えられて一年後、訴訟が取り下げられると、関口さんも悪いと思ったのか、私を番組に呼んだんです。久しぶりで顔を合わせたら、「お勤めご苦労さん」ですって（笑）。

森　「お勤め」って（笑）。

佐高　稲盛と中坊公平と瀬戸内寂聴が三人で鼎談して出した『日本復活』という本がある。瀬戸内が、三人に共通するのは、言いたいことは言わせておけというタイプであることだと言うから、私は、冗談言うなと書いた。些細なことで中坊は訴えるし、稲盛も訴える、と。スラップ訴訟と言ってもいいと思うんだけど、閉塞だけをもたらしますよね。

森　訴えるほうが、やはり脛（すね）に傷があるという感じがしますよね。だからどうしても小さいことが気になるし、何かを見つけては訴えてくるということではないでしょうか。

佐高　蟻の一穴から崩落するとでも思っているのかな。

森　実際そうですよ。蟻の一穴を埋めておかないと堤が崩れてしまうという恐れを常に抱いているんじゃないですかね。恐らくそれが分かっている。許永中なんかもそうですよ。

佐高 許永中もそうですかね?

森 法的に訴えてくるというよりも、暴力に訴えてくるタイプですけどね。訴え方はいろいろありますが、自分の居場所が砂上の楼閣的なところではないかという恐怖を抱いているという共通点はありそうです。

佐高 その本能的な認識だけは正しいよね。

私が小泉批判、宮内批判をするようになって、オリックスは一切取材に応じなくなる。そのころ、たまたま野田一夫のお祝いの会がパレスホテルであったんです。行く気はなかったんだけど、平松守彦さんから誘われて、平松さんには世話になっているから一緒に行こうということになった。途中で帰ろうとしてエレベーターに乗ったら、宮内と一緒になっちゃった。

これは、お互い気まずい(笑)。上から下に降りるまで、あまり広くないエレベーターで、ずっと一緒。お互いに顔は分かっているわけです。

森 会話はないんですか。

佐高 ない。そういうときに話しかけてくるタイプなら、訴えないよね。

森 たしかに、そうでしょうね。向こうに対話をする発想があって、説明したいと言われれば、こちらだって当然、応じる。また食らいつくことになるかもしれないけど、彼らには、そういうやりとりができるような懐の深さは感じないですね。

竹中、菅、麻生の関係性

佐高　森さんは、竹中には会っている？

森　すれ違っている程度です。菅をインタビューしたとき、ザ・キャピトルホテル東急で。菅は、ORIGAMIというレストランの個室にずっと陣取っていて、そこに毎週、自分の子飼いの新聞記者とかを呼んではレクチャーしたり、いろんな人とそこで会っているわけです。

その中の一人が竹中平蔵で、毎週会っているらしく、僕がインタビューする前に竹中平蔵が菅と一緒に打ち合わせしていたことがあるんです。竹中が個室から出てきたので、「あ、竹中さん」と声をかけようとしたんだけど、竹中はバババッと去って行っちゃった。僕は菅のインタビューが入っていたから追いかけることもできずに、そのまま菅のインタビューをしましたけど。

菅に訊いたら、「竹中さんとは毎週会っていて、いろいろ教えてもらっているんですよ」と言っていて、まさしく師弟関係のような印象でしたね。「政策をレクチャーしてもらっている」という言い方もしていました。

佐高　竹中が総務大臣になった後、菅を後継大臣にする。

森　というか、竹中が総務大臣になったときの総務副大臣が菅です。

佐高　そうか。菅を後継大臣にというのは、あれは竹中が推薦したんでしょう？

森　小泉、竹中で決めたというふうに聞いています。竹中の前の総務大臣が麻生で、小泉としては郵政民営化を仕上げるためには、麻生にやらせたら、なし崩しに終わらされるかもしれないという危機感を抱いて、竹中と相談した上で、菅がいいんじゃないかといって菅にやらせたわけですね。

麻生は外務大臣に横滑りした。総務大臣とどっちがいいかといったら、格付けとしては似たようなものなんですが、麻生は怒ったみたいです。それ以来、麻生と菅との関係は悪くて、いまに至っても良くないですね。

佐高　麻生と竹中も悪いよね。

森　ええ、麻生と竹中も悪い。そのあたりはぎくしゃくしている。

ベンチャーという「虚業」

佐高　さきほどのＭＨＫ＋南部に戻るけど、木村剛は会ったことない？

森　ないですね。

佐高　村上は？

森　村上のことは何度も書いてますけど、会ったことはない。

佐高　そして、もう一人の南部ですね。

森　さきほどの野田一夫が名付けた「ベンチャー三銃士」、要するに南部と孫とエイチ・アイ・エスの澤田英雄、この三人を「ベンチャー三銃士」と名付けたのが野田一夫で、野田は三人の師匠でしたよね。

実際その中で、ソフトバンクが一番大きくなった。だけどベンチャー三銃士と呼ばれた当時は、南部のほうが目立っていたんですよね。パソナを立ち上げ、父親の栄三郎に最初パソナをやらせて、父親から引き継いだ、アメリカ帰りのベンチャー起業家という触れ込みで。

佐高　結局リクルートもそうだけども、南部は人材派遣、それからオリックスのリース業、いずれも虚業なんだよね。

森　そういうことですね。

佐高　だから規制緩和という、公的規則とか公的ルールを崩してそこに入り込んでいく手法で、当然、公的規制を外すときには政治家とつながる。南部は、実業家という感じがしないよね。虚業家というか。

森　実業家ではないですね。規制緩和に入り込んだ人物たちに特徴的なのは、何となくアメリカ発の業種ですよね。リースにしても、人材派遣にしても。

南部の場合はアメリカ発の人材派遣業を日本流にアレンジしたというか、自分が学生時代にやっていた家庭教師派遣業みたいなものから始まっているわけですね。ベンチャーと言えばベンチャーなんだけど。

ちょうど規制緩和で人材派遣が導入されてきたことを奇貨として、うまくその波を使って派遣業を始めた。これが、日本の伝統的ないわゆる口入れ業とも重なるわけです。

佐高　日本古来の闇社会の搾取手法とアメリカ流が結びついている。

森　そう、ヤクザが昔からやっていた口入れ業と同じようなものなんだけど、それをアメリカ流の派遣サービスみたいなものとしてうまくアレンジし、糊塗して時流に乗せた。だから結局、人材派遣業というのはいまでも、ヤクザの稼業と結びついていますものね。たとえば、福島第一原発事故後の除染作業なんかも、やはりヤクザの収入源になっている。

派遣というのは、もともとヤクザの収入源だったわけですね。それを現代社会のあらゆる領域に広げていっている。だから彼らは闇の世界との妙なつながりがあるんですね。

南部と中江滋樹[*5]のつながりにも、それが現れている。南部は、中江滋樹にものすごく面倒を見てもらっていましたから。

佐高　ああ、そうですか。

森　南部の株の師匠は中江滋樹なんです。南部がいっときセガを買収しました。その過程では、中江が株の指南役になっているわけですよね。

その中江滋樹は投資ジャーナル事件で刑務所に行くじゃないですか。出所したときに出迎えを手配したのは、南部です。南部はスーツを仕立てて、ロールスロイスか何かを用意して、刑務所まで出迎えに行かせる。中江はそれに乗ってホテルに向かい、感激するわけです。

佐高　そのあたりの作法はベンチャーというより、前時代的で、ヤクザチックですね。

パソナはコロナとオリンピックでも儲けたんでしょう？

森　コロナのワクチン接種業務や看護師の派遣もやってますよね。過大請求で委託業者の変更もさせられたけれども。オリンピックの通訳派遣業者はパソナでしたし、事務局の人材も派遣してましたよね。

佐高　そのパソナの会長が竹中だったわけだ。

維新と安倍・菅の関係を取り持った竹中

佐高　竹中はもう一つ、維新とのつながりもありますよね。橋下徹[*6]と結びつき、だから維新ともつながるわけだよね。

森　竹中と維新の結びつきには、菅が噛んでいるんじゃないですかね。要するに、菅が橋下や松井一郎[*7]を見出して、維新を引き立てていくと同時に、維新のブレーンとして竹中先生を紹介するというようなことですかね。

例によって竹中は、空港の民営化などを進めていくわけですけど、そこに維新が乗っかっていく。要するに、伊丹と神戸と関空の三空港を一体化して民営化していくということをぶち上げていくんだけど、これは、竹中と維新が組んでやっていくわけです。竹中は、大阪府や大阪市の顧問になっていましたね。

佐高　維新の候補者選定委員長とかもね。橋下と竹中はお互いエールの交換はやっている。でもこれは、森友・加計に通じる話になるわけだよね。つまり、特に森友は、大阪が認可しなければ始まらない話でしょう。

森　まさしくそうです。

佐高　だから松井が認可して、それに安倍が乗っかっていったわけですよ。第一関門は松井が開いている。

森　そう。松井の問題なんですよ、もともとは。

佐高　だから、タッグマッチだよね。

森　まさしく森友の認可を与えたときの大阪府知事であり、森友を認可したのは松井なんです。

佐高　維新と安倍・菅の関係に竹中が介在しているということは、意外に語られないよね。

森　そこはあまり言われないですね、たしかに。

佐高　菅は、連立の相手として、公明を切って、維新をという話もあったでしょう。

森　それはずっと模索していましたよね。公明を切れるかどうかは別として、維新とは常に連携していますよね。

カジノなんかまさしくそうですね。カジノは地域ですみ分けてきました。安倍政権の中では、まず大阪と横浜と沖縄という三つをやろうとしていたわけです。東京は不確かでしたから、大阪カジノに肩入れしたのも菅ですよね。

佐高　なるほどね。

権力側の原発政策にも維新は深く関わっている。岸田は原発政策を大転換して再稼働へ舵を切りましたよね。そこへ至る底流として、電力をめぐる権力側の陣形形成がある。

古賀茂明さんが言っていたけど、3・11の後、当初、橋下は原発再稼働に待ったをかけていたわけです。

森　もともとはそうですよね。

佐高　それがひっくり返るきっかけが、今井尚哉なんだよね。

森　そう。今井が橋下を説得しに行ったんです。再稼働反対だった橋下と、当時の滋賀県知事の嘉田由紀子（かだ）[*8]の二人を説得して、橋下に対しては、再稼働しないと死人が出るぞみたいな話で恫喝した。橋下はころっと転向する。だまされてというか、橋下はそれまでの脱原発から転換していくわけですね。嘉田もそうです。

佐高　嘉田は一応踏みとどまるでしょう。

森　いや、まったく踏みとどまってないです。僕の取材に対して嘉田本人が、だまされたと言ってましたから。要するに彼女は、脱原発ではあるんだけど容認せざるを得ないという立場に至り、だから反対はしないという格好になったと思います。その流れが岸田政権に受け継がれている。

佐高　だからまさに権力の源泉、その闇の核心が電力、原発なんだよね。

森　それは言えますね。

佐高　電力総連と電機連合というのが最大の闇ですよね。

何でも自由化という悪夢

佐高　加計問題への竹中の関わりはどうですか？

森　加計学園の取材はかなりしましたけど、国家戦略特区、要するに特区構想に基づくものですよね。小泉改革以降の構造改革特区については、竹中が主軸となっていろいろ知恵を授けた。その後、安倍政権になって、第一次がつぶれて、第二次政権で復活して、さらにバージョンアップしていくのが国家戦略特区という名の学校や学部の新設ですね。

それは要するに、学校の自由化とか、教育の自由化とか、労働の自由化とか、小泉政権時代に編み出された、いろいろある自由化の中の一つの集大成みたいなものですよね。

佐高　国家による新自由主義化ということですよね。学校までがその対象になってしまった。竹中の路線の行き着く果てではある。

森　そういうことです。空港の自由化というのもあって、面白いのは、竹中が社外取締役だったオリックスが関空の運営権を買収して、民営化を担ってきたんですね。関空の民営化のときにオリックスが手を挙げる。それは維新と組んでいるわけです。さっきも話した維新の三空港一体経営化計画の一環として、その目玉が関空で、関空の運営権を買収するということを、オリックスとフランスの会社が組んでやっているんです。その指南役が竹中で、そこにオリックスが参入したのも竹中がいたからでしょう。

佐高　最初に、竹中を日本破壊の象徴と言ったのはやはり当たってますよね。

森　官から民への民営化、あるいは何でも自由化の集大成が、国家戦略特区になっていくわけです。その旗を振っていたのももちろん竹中であり、それが安倍政権の加計学園問題へと通じる。いままで獣医師も医師も増えすぎるということで規制してきたところを、特区を使って緩和し、加計学園の獣医学部の新設の実現に向けて邁進していった。

森友学園もそうですよね。教育の自由化という特区構想の一環として、幼稚園の新設を認めることになり、そこに森友が乗っかっているわけですね。

佐高 竹中路線があり、民営化・自由化があり、森友・加計問題が生み出されるという流れですね。

結局、会社にしてはいけない領域を会社にしていくという新自由主義の悪業があぶり出される。民営化とか自由化と言うけれども、結局のところ、利権化ということなんだよね。

森 そういうことです。

佐高 それもテメエらだけのための利権。森さんが国家戦略特区の問題を分かりやすく解説してくれたけど、あれは特区という客観的なものではなく、特権区なんですよね。自分たちの特権にするという露骨な政策です。

森 政治の独善が極まった感がありますね。

佐高 竹中は、そういう時代を生んだ張本人であり、象徴でもあり、いまだに終わる気配がない、弱肉強食の悪夢のような社会の真っ只中に息づいている。このことを怒りとともに再認識しておきたいと思います。

＊1　乾恒雄（一九一〇～一九九八）　大阪府生まれ。慶應義塾大学経済学部卒業後、三和銀行に入社、国際畑を歩む。一九六四年、オリエント・リース（のちのオリックス）設立に参加し副社長に就任、のちに二代目社長となる。八〇年に社長の座を宮内義彦に譲り、会長に就任、のち名誉会長。

＊2　野田一夫（一九二七～二〇二二）　愛知県生まれ。東京大学文学部卒業。立教大学教授、日本総合研究所初代所長、ニュービジネス協議会初代理事長、多摩大学初代学長、宮城大学初代学長、事業構想大学院大学初代学長などを歴任。日本の経営学の開祖の一人とされる。一九五六年、ピーター・ドラッカーの著書の邦訳『現代の経営』を刊行。

＊3　南部靖之（一九五二～）　兵庫県生まれ。関西大学工学部卒業。一九七六年、、労働者派遣事業のマンパワーセンター（のちのパソナ）を設立。現在、パソナグループ代表取締役グループ代表兼社長、株式会社パソナ代表取締役会長CEO。

＊4　木村剛（一九六二～）　富山県生まれ。東京大学経済学部卒業後、日本銀行に入行。二〇〇三年、「二〇億円集めれば銀行をすぐにつくれる」との木村の発言をきっかけに日本振興銀行が設立される。のち社長と会長に就任するも、一〇年に銀行法違反容疑で逮捕。同年、日本振興銀行は経営破綻した。一一年、整理回収機構は木村を含む旧経営陣七人に対して五〇億円の損害賠償を求め東京地裁に提訴。木村は有罪判決と賠償命令を受けた。

＊5　中江滋樹（一九五四～二〇二〇）　滋賀県生まれ。小学生時代から株に興味を持ち、投資家となる。一九七八年、投資ジャーナル社を設立。「兜町の風雲児」として注目を集めるも、五八〇

億円の現金を詐取した投資ジャーナル事件で有罪判決、収監される。晩年は東京下町のアパートで暮らしていたが、自宅アパートの火事で焼死した。

＊6　橋下徹（一九六九～）　東京都生まれ。早稲田大学政治経済学部卒業後、弁護士となる。その後マスメディアの人気者となり、二〇〇八年、大阪府知事に就任。一〇年、大阪維新の会を結成、代表となり、一二年には日本維新の会代表となる。一一年、大阪都構想実現のため府知事を辞任して大阪市長選に立候補し、当選。一二年、福井県の大飯原発再稼働をめぐり、当初は反対を表明するも、のちに再稼働容認に転じた。一五年、住民投票の結果、大阪都構想が否決され、政界から引退。

＊7　松井一郎（一九六四～）　大阪府生まれ。福岡工業大学工学部卒業。実家は電気工事会社。二〇〇三年、大阪府議会議員選挙で自民党の公認を得て立候補し当選。一〇年、大阪維新の会を結成して幹事長となる。一一年、橋下徹の大阪府知事辞任を受け、府知事選に立候補し当選。一九年には大阪都構想への判断を再度仰ぐとして大阪市長選に立候補、当選した（大阪府知事となったのは前大阪市長の吉村洋文）。翌二〇年、住民投票の結果、大阪都構想はまたも否決。二三年、市長任期満了にともない政界を引退。

＊8　嘉田由紀子（一九五〇～）　埼玉県生まれ。京都大学農学部卒業、同大学院農学研究科博士課程修了。京都精華大学教授などを歴任後、二〇〇六年、新幹線新駅建設反対などを訴え、滋賀県知事選挙に立候補し当選。一二年、日本未来の党を結成。一七年の衆議院選挙で落選するも、一九年の参議院選挙で国会議員初当選。

おわりに

森功

この十年来、日本を動かしてきたのは誰か――。

そう問われると真っ先に頭に浮かぶのは、安倍晋三や菅義偉かもしれない。二〇一二年十二月の第二次安倍政権誕生からおよそ十一年が経過した。この間、菅が安倍から政権のバトンを受け取り、さらに岸田文雄内閣が生まれた。第二次安倍政権発足後に外相を務め、自民党政調会長を経て日本政府のトップにのぼり詰めた岸田は、その一方で百人の国会議員を抱える自民党第一派閥の安倍派に遠慮せざるを得ない。安倍を支えてきた保守・タカ派勢力に忖度する首相のその姿は、ひ弱なリーダーとしか国民の目に映らず、内閣支持率も次第に下がっていった。

そんな岸田にとって、大きな転機が訪れた。二〇二二年七月の安倍暗殺事件である。

岸田はいち早く閣議で安倍の国葬を決め、菅と麻生太郎に友人代表の弔辞を頼んだ。それもまた、いつもの保守派に対する気遣いとしか思えなかった。

ところが、岸田のこの国葬判断が、日本の世論を分断する。もとより国葬を歓迎したのは自民党保守派だ。しかしその実、「吉田茂首相以来の国葬に値するのか」「国葬の法的根拠が見当たらない」という批判があがり、むしろ国葬反対の声が大勢を占めていった。

そして統一教会問題が国葬反対世論の火に油を注いだ。手製の粗末な銃で安倍を葬った山上徹也が、統一教会に家庭を破壊された被害者だったことから同情が沸き起こり、一万を超える減刑嘆願署名が寄せられた。殺人犯に対する異様な事態といえる。そのうえ長年、安倍派を中心とした自民党議員が統一教会の選挙応援を受けてきた事実が明るみに出て、被害者救済の新法まで成立した。

それでいて、岩盤支持者たちの安倍晋三に対する愛郷の念も衰えない。本人へのインタビュー形式で構成された『安倍晋三回顧録』（中央公論新社）がたちまちベストセラーになったのは、とりもなおさず安倍人気のあらわれだろう。が、肝心の本の中身は都合の悪い質問には答えをはぐらかしている。インタビュアーも、それ以上突っ込まない。本を読んで、まるで自民党議員の国会質問に答えているかのような読後感に襲われたのは私だけではないだろう。

ここまで無邪気に一人の国会議員を信じ、愛してやまない。これもまた、魔訶不思議な現象ではないだろうか。

安倍にとって最も強力な支持者の一人が、元JR東海名誉会長の葛西敬之である。本書に先んじて刊行した『国商』（講談社）では、「最後のフィクサー 葛西敬之」という副題を付けた。葛西は、中曽根康弘行政改革の黒幕として国政にかかわってきた元関東軍参謀の瀬島龍三に師事し、かつて「国鉄改革三人組」と呼ばれた。その葛西が自らのブレーンである高級官僚たちを送り込んでつくったのが安倍政権だったのである。最後のフィクサーという副題は決して大袈裟ではない。安倍や菅のみならず、現在の岸田にいたる今日まで、政権に影響力を残している。この先、出てこないであろうスケールの大きな黒幕だ。

光り輝いて見えた安倍に対し、政治の表舞台に登場しない葛西は、あくまで影の存在といえる。両者の関係は表と裏と言い換えてもいい。取材をしていくと、この十年来、日本を本当に動かしてきたのは、この最後のフィクサーだったと痛感した。

葛西ほどのスケールではないにしろ、日本社会は文字通り表と裏が渾然一体となって動いてきたといっても過言ではない。「闇の帝王」と異名をとり、イトマン事件を引き起こした許永中は、暴力団や裏社会ばかりではなく、名だたる政財官の実力者とも親しく交わり、自らのビジネスを実現しようと走り回った。イトマン事件では亀井静香や竹下登、中尾栄一、住友銀行の河村良彦や東邦生命の太田清蔵との交友がクローズアップされたが、元日大理事長の田中英壽との相撲界を巡る親交も、関係者のあいだでは知られたところだ。

また、日本の高度経済成長を牽引した田中角栄と中曽根康弘は、当選同期で同じ年だった。戦後最大の政界疑獄と呼ばれたロッキード事件が田中の代名詞のように語られるが、実は中曽根も日米の政界汚職に深くかかわっている。そしてそこにも黒幕が見え隠れした。事件で一敗地にまみれた田中に対し、リチャード・ニクソン政権の大統領補佐官で、ヘンリー・キッシンジャーのカウンターパートナーだった中曽根は、自らの摘発を免れた。日米の防衛利権で名前が取り沙汰されたのが、中曽根のブレーンだった伊藤忠商事の元会長瀬島にほかならない。その瀬島がのちに中曽根行革を担うことになる。一方、田中の盟友だった国際興業社主の小佐野賢治は田中とともにロッキード事件で逮捕された。強力な影の存在が田中と中曽根という二人の首相を支えてきたのは間違いないが、その明暗ははっきり分かれている。

中曽根行革以降、日本には市場開放という名の新自由主義経済が上陸した。わけても二〇〇〇年前後の小泉純一郎内閣では、慶大教授だった竹中平蔵が政権のブレーンとして、市場開放の旗を振った。竹中自身は影の黒幕というイメージはないかもしれない。むしろ自ら率先して新自由主義政策を訴え、小泉政権では総務大臣になった。

「従来の役所の規制を取っ払い、公共事業を自由化して民間開放すれば効率が上がる」

そう唱えてきた。その規制緩和路線が安倍、菅政権にそっくり引き継がれ現在にいたっているといっていい。反面、そこには規制緩和された事業のビジネスチャンスという新たな利権が生まれた。労働の自由化を謳った人材ビジネスは広がり、派遣業者のパソナが利益を得ていく。さすがに今は退いたが、竹中はパソナの会長を務めてきた。

安倍政権では、国家戦略特区を使った加計学園の獣医学部新設が安倍の友達に対する依怙贔屓ではないか、と批判があった。その舞台裏では、官邸官僚たちが新たな制度づくりを担ってきた。

表裏一体となって動く日本社会の構図は今も昔も変わらない。本書が日頃なかなか光の届かない闇の怪物たちに気付くヒントになれば幸いである。

【著者】

佐高信（さたか まこと）

1945年山形県生まれ。慶應義塾大学法学部卒業。評論家。高校教師、経済誌編集長を経て執筆活動に入る。著書に『逆命利君』『城山三郎の昭和』『総理大臣 菅義偉の大罪』『田中角栄伝説』『石原莞爾 その虚飾』『池田大作と宮本顕治』、共著に『安倍「壊憲」を撃つ』『自民党という病』『官僚と国家』など多数。現在『佐高信評伝選』（全7巻）が刊行中。

森功（もり いさお）

1961年福岡県生まれ。岡山大学文学部卒業。伊勢新聞社、テーミス社、『週刊新潮』編集部などを経て、フリーランスのノンフィクション作家となる。『悪だくみ「加計学園」の悲願を叶えた総理の欺瞞』で大宅壮一メモリアル日本ノンフィクション大賞を受賞。著書に『許永中 日本の闇を背負い続けた男』『サラリーマン政商 宮内義彦の光と影』『腐った翼 JAL 消滅への60年』『日本を壊す政商 パソナ南部靖之の政・官・芸能人脈』『国商 最後のフィクサー 葛西敬之』など多数。

平　凡　社　新　書　１　０　０　０

日本の闇と怪物たち
黒幕、政商、フィクサー

発行日――2023年6月15日　初版第1刷
　　　　　2023年8月25日　初版第2刷

著者――佐高信・森功

発行者――下中順平

発行所――株式会社平凡社
　〒101-0051　東京都千代田区神田神保町3-29
　電話　(03) 3230-6580［編集］
　　　　(03) 3230-6573［営業］

印刷・製本―株式会社東京印書館

装幀――菊地信義

ISBN978-4-582-86000-9
平凡社ホームページ　https://www.heibonsha.co.jp/